Diseño de bisutería con

ABALORIOS

Diseño de bisutería con
ABALORIOS

Lucía Campo Sáez

LIBSA

© 2012, Editorial LIBSA
c/ San Rafael, 4
28108 Alcobendas. Madrid
Tel. (34) 91 657 25 80
Fax (34) 91 657 25 83
e-mail: libsa@libsa.es
www.libsa.es

ISBN: 978-84-662-2410-9

COLABORACIÓN EN TEXTOS: Lucía Campo Sáez
EDICIÓN: equipo editorial LIBSA
ILUSTRACIÓN: Lucía Campo Sáez
DISEÑO DE CUBIERTA: equipo de diseño LIBSA
MAQUETACIÓN: equipo de maquetación LIBSA
DOCUMENTACIÓN Y FOTOGRAFÍAS: Photos.com,
Shutterstock Images, 123RF
y archivo LIBSA

agradecimientos

FOTOGRÁFICOS

Queremos hacer llegar nuestro sincero agradecimiento a todas las personas y entidades que han colaborado en la documentación de esta obra. Y muy especialmente a quienes han prestado imágenes de sus proyectos. Sin su ayuda y colaboración este libro no hubiese sido posible.

CONTENIDO

INTRODUCCIÓN
bisutería

LOS ADORNOS Y LA BISUTERÍA HAN ACOMPAÑADO AL HOMBRE DESDE LOS INICIOS DE LA CULTURA. DESDE LAS PRIMERAS CUENTAS ENCONTRADAS EN RESTOS ARQUEOLÓGICOS FABRICADAS CON CONCHAS Y FRAGMENTOS DE HUESO, HASTA LOS MATERIALES SINTÉTICOS MÁS COMPLEJOS USADOS EN LA ACTUALIDAD, SIEMPRE NOS HA CARACTERIZADO ESE DESEO DE DESTACARNOS DE ALGUNA MANERA DEL GRUPO.

prender a fabricar nuestros propios complementos es una forma fácil y divertida de plasmar nuestra creatividad y sorprender a amigos y familiares con nuestras creaciones. En este libro aprenderá a reconocer los distintos tipos de abalorios, cuentas, piedras y adornos más usados en bisutería, además de los materiales y herramientas necesarios para crear sus propias piezas. A través de unas sencillas indicaciones, con instrucciones paso a paso acompañadas de fotos e ilustraciones orientativas, no tardará en familiarizarse con algunas de las técnicas de enfilado, de tejido, que podrá poner en práctica en cada uno de los proyectos propuestos.

ABALORIOS

Un abalorio es un objeto decorativo, un «adorno», y en este libro extenderemos esta definición a cualquier tipo de adorno que presente un agujero o perforación, lo que nos permite trabajar con él, ya sea en un enfilado, un tejido o un engarzado.

Según la RAE, la palabra abalorio procede del árabe «alballúri», que significa «de vidrio», pero eso no quiere decir que este sea el único material usado. Podemos encontrar cuentas de todo tipo de materiales, desde piedra, cristal o metal hasta elementos naturales, como la madera, el hueso o las conchas. Podemos, además, usar prácticamente cualquier objeto como abalorio, siempre que tenga el tamaño y aspecto adecuados a nuestras necesidades y que esté, o pueda ser, perforado. En diseños atrevidos, objetos cotidianos como los botones, la pasta seca o, simplemente las anillas de los refrescos, pueden servir como abalorios.

Tras un breve recorrido por sus orígenes, los distintos materiales, formas, tamaños y acabados, aprenderemos a crear cuentas, y algunas nociones básicas de diseño y combinación de colores para sorprender con las creaciones más exclusivas.

SUS ORÍGENES

Se cree que las primeras muestras de bisutería con abalorios datan de hace aproximadamente 100.000 años, y consistían en una serie de pequeñas conchas y caracolas marinas. A medida que las herramientas fueron evolucionando, se crearon cuentas más complejas y pulidas, de materiales como el hueso y la madera. Poco a poco fueron surgiendo diferentes técnicas y diseños distintivos según la región de la que procedían, y su uso fue extendiéndose a lo largo del mundo durante las grandes migraciones.

Dado el carácter práctico del libro, se denomina abalorio a todos los adornos que nos permitan desarrollar las técnicas de enfilado, tejido o engarzado.

Con el desarrollo del comercio internacional, el intercambio de cuentas entre diferentes culturas poco a poco se fue generalizando, hasta el punto de que en ocasiones resulta difícil saber el verdadero origen de los distintos diseños.

Históricamente, los abalorios han tenido y tienen aún hoy una serie de funciones y usos, entre los que quizá el más antiguo sea el de indicativo de riqueza, o directamente como objeto de intercambio,

similar a las monedas. Un dato curioso al respecto es que el primer ofrecimiento de Colón a los indios arawak fue un conjunto de cuentas. Un segundo uso histórico de las cuentas y los abalorios es meramente práctico y funcional, como es la aparición de los primeros botones, o piezas más elaboradas, como cinturones o broches. Aunque hoy en día las piezas de bisutería tienen únicamente una función estética, puede servirnos de inspiración los usos que en el pasado se les daba a este tipo de objetos, que trasladados a la época actual, pueden ser verdaderamente interesantes: pruebe a adornar una cadena que sostenga una esfera de reloj o a bordar abalorios en un pañito para cubrir tazas de infusión.

Por último, cabe destacar quizá uno de los usos más antiguos y misteriosos que aún hoy se le da a algunos abalorios, que no es otro que su valor como amuletos y símbolos de protección con una serie de cualidades curativas y beneficiosas para la salud, además de tener el poder de proteger al afectado por los malos espíritus.

Independientemente del uso o del folclore asociado a la bisutería con abalorios, sus orígenes se pierden en la memoria, y su tradición ha sido continuada por los más diversos grupos sociales, y hasta los más remotos, ya sea geográfica o temporalmente. Tanto las damas de la Inglaterra victoriana como los guerreros de cualquier tribu perdida de África han sentido la misma fascinación por esta milenaria forma de artesanía, y aprendiendo algunas ideas básicas sobre el tema podrá participar en un nuevo eslabón de este arte. A continuación hablaremos brevemente de los tipos de abalorios que históricamente han caracterizado a la joyería y la bisutería de distintas partes del mundo. Utilice estas ideas como fuente de inspiración a la hora de diseñar sus propias combinaciones.

La utilización universal del abalorio en todas las culturas ha influido en los diseños más actuales, desde la combinación de colores hasta la mezcla de distintos materiales.

Italia: con una larga tradición en la fabricación de vidrio, destaca la producción de cristal de la isla veneciana de Murano. También son famosas las cuentas de coral y los camafeos de Nápoles.

Europa Central: el cristal de Bohemia empezó a fabricarse en la Edad Media, con un momento de esplendor durante el periodo barroco gracias a la delicadeza de los maestros grabadores. También en Silesia y Moravia se extiende esta tradición, y en los últimos años destaca la producción de cristal austriaco, liderada por la compañía Swarovski.

América: tribus como los sioux, los navajos o los cherokee usaban plumas, conchas y rocalla para crear sus adornos, además de piedras como la turquesa y metales como la plata, los mayas y los olmecas fabricaban cuentas de jade, y otras tribus, como los tairona desarrollaron técnicas para extraer cristal de roca. También es muy conocido el gusto de la población indígena de esta zona por el oro, lo que no tardó en llamar la atención de los ávidos comerciantes europeos. Aún se conservan cuentas artesanales de cerámica vidriada decoradas con diseños indígenas y cuentas de cristal dorado en Ecuador. Además de las piedras y metales preciosos, eran típicas las cuentas de maderas tropicales, como el palo de rosa o la caoba.

África: todas las técnicas europeas de fabricación de cristal proceden del antiguo Egipto. En otras partes de África es muy común el comercio de huesos de animales salvajes, aunque hay que tener en cuenta que el uso de huesos de algunas especies es ilegal. Menos controvertido es el uso de semillas y judías, además de los trabajos de algunas tribus con metal forjado.

China: algunos de los materiales tradicionalmente asociados con el gigante asiático son la plata, el jade y el coral. De China también procede la porcelana azul y blanca, cuya técnica se exportó posteriormente a Inglaterra. Junto a Japón, China es uno de los principales fabricantes mundiales de perlas cultivadas, y sus habitantes tienen un gusto especial por las perlas de río o de agua dulce.

Japón: es el principal proveedor mundial de perlas cultivadas, aunque los japoneses también son conocidos por la fabricación de rocalla de alta calidad, como, por ejemplo, las cuentas miyuki (que se fabrican al estilo veneciano). Las «geishas» se adornaban

Histórica y geográficamente, el abalorio tiene una identidad propia en cada parte del mundo. Su especialización con determinados materiales, como el jade en China, será la fuente de inspiración para el diseño de proyectos con dicha piedra.

con piezas de coral y porcelana. También son originarias de Japón las llamadas cuentas «ojime» (elaboradas en madera de boj tallada).

La India: tradicionalmente destaca por la producción de plata y distintos tipos de madera, generalmente para la exportación, ya que es más barata que en Europa. Destacar también la producción de aluminio, que forma parte del sistema de reciclado del país y es un excelente material para fornituras.

FORMAS, TAMAÑOS, MATERIALES Y TIPOS MÁS COMUNES

Puede encontrar cuentas de entre aproximadamente 1 mm y 1-2 cm de diámetro. Procure siempre que las cuentas que utilice tengan un agujero lo bastante grande como para pasar el hilo a través de él: busque hilos que se adapten al tamaño de sus cuentas.

El peso es otro factor determinante a la hora de elegir los abalorios con los que va a trabajar. Si va a realizar unos pendientes, no es conveniente usar cuentas demasiado pesadas. Busque siempre fornituras e hilos que puedan resistir el peso de los abalorios, por ejemplo, un cierre con imán no será suficiente para proyectos con piedras muy pesadas.

La forma y el acabado de los abalorios usados en un determinado proyecto dependen, no solo del gusto de cada uno, sino del diseño y estilo elegidos. Nunca viene mal tener en cuenta a la persona a la que va dirigida la pieza que vamos a crear. Una vez sepamos qué tipo de cuentas queremos utilizar seremos capaces de elegir entre un catálogo inmenso de abalorios, ya que prácticamente podemos encontrarlos en todas las formas y tamaños. Veamos los más usados.

Las distintas religiones indias fabrican amuletos con piedras semipreciosas representando a sus distintos dioses.

El uso de cuentas de madera o semillas tropicales unidas con la denominada técnica peyote, propia del diseño de abalorios, se extendió en América hasta los instrumentos musicales más genuinos.

En Europa destacan los trabajos realizados con cristales como los que comercializa la compañía Swarovski.

CUENTAS ESFÉRICAS

Son las más comunes, aunque no siempre las más versátiles. Pueden ser completamente redondas u ovaladas.

Cuentas esféricas

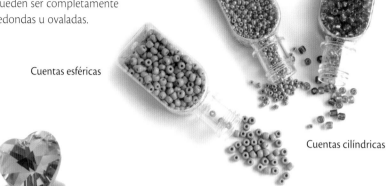

CUENTAS CILÍNDRICAS

Las rocallas cilíndricas son las más prácticas, ya que con ellas se puede trabajar tanto en proyectos de enfilado sencillo como en otros más complejos de bordados con abalorios (especialmente las de tamaño más pequeño). Las hay de muchos tipos y conviene hacerse con piezas lo más regulares posible. Uno de los tipos más usado de abalorio cilíndrico es el canutillo.

Cuentas cilíndricas

FORMAS GEOMÉTRICAS

Las cuentas cuadradas o con formas geométricas pueden ser muy atractivas, y más modernas que las cuentas redondas. Las llamadas «facetadas» son muy versátiles y vistosas, como por ejemplo, las de cristal de Swarovski. Tienen una forma generalmente ovalada o esférica, pero con acabado geométrico. Las facetadas más comunes son los llamados tupis.

DONUTS

Nos referiremos así a las cuentas con forma de aro o anilla, para distinguirlas mejor de las anillas de unión.

CUENTAS CON FORMA DE LÁGRIMA

Dependiendo de cómo estén perforadas pueden afectar de manera diferente al diseño de un collar o una pulsera.

OTRAS FORMAS

Las piedras suelen presentar formas irregulares, pero no por ello menos atractivas.

CONOS Y CONOS DOBLES

Los conos dobles pueden ser alargados o tener forma casi de disco.

ROCALLA

Es un tipo de cuentas con una forma más o menos regular y su tamaño suele variar entre 1 y 8 mm. La rocalla puede ser: opaca, transparente, translúcida, plateada y «ab» o aurora boreal.

CRISTAL

Las distintas técnicas de elaboración de abalorios de cristal proceden de los antiguos egipcios y de Roma. Los principales fabricantes de cristal son: cristal de Murano, cuentas tipo pandora, Swarovski y cristal checo.

MADERA

Los abalorios de madera son muy usados en bisutería por su tacto cálido y su ligereza. Podemos encontrar cuentas de madera pintadas o naturales.

SEMILLAS Y OTRAS CUENTAS NATURALES

África, América y la India son los países en los que más se trabaja la bisutería con estos materiales, aportando a las piezas el estilo tradicional y todo el arte de sus pueblos.

CERÁMICA Y ARCILLA POLIMÉRICA

Las cuentas de cerámica se crean con arcilla moldeada y endurecida en hornos especiales. Las poliméricas proceden de un tipo de plástico especial compuesto de PVC, que puede calentarse a temperaturas mucho más bajas que la cerámica tradicional.

METAL

Puede estar moldeado con diversas técnicas y acabados. Existen metales preciosos, como el oro, la plata y el platino; y metales base, como el cobre, el aluminio, el latón o el estaño.

PERLAS

Existen tres tipos diferentes de perlas, las perlas naturales, las cultivadas y las falsas. Hay perlas cultivadas tanto de río como de mar y se diferencian por su forma.

PIEDRAS SEMIPRECIOSAS

Cuando hablamos de piedras semipreciosas normalmente nos referimos a piezas de origen mineral, pulidas y cortadas, aunque también suelen incluirse algunas de procedencia orgánica, como el ámbar o el azabache.

CONCHAS Y OTROS ABALORIOS DE ORIGEN MARINO

Los primeros abalorios estaban formados por conchas. Se utilizan prácticamente todos los tipos de conchas que hay.

HUESO Y CUERNO

Estas piezas se comercializan pulidas y/o talladas.

FORNITURAS
y herramientas

PARA CONVERTIR UN CONJUNTO DE CUENTAS Y ABALORIOS EN UN ELEGANTE COLLAR, UNOS PENDIENTES O UN EXCLUSIVO BROCHE, NECESITAMOS UNA SERIE DE FORNITURAS Y HERRAMIENTAS ESPECÍFICAS CON LAS QUE TODA PERSONA AFICIONADA A ELABORAR SU PROPIA BISUTERÍA Y COMPLEMENTOS NO TARDARÁ EN FAMILIARIZARSE. TÉRMINOS COMO MOSQUETÓN, ANILLA, CIERRE EN T O ESPACIADOR, ENSEGUIDA FORMARÁN PARTE DE SU VOCABULARIO, Y NO TARDARÁ EN DIFERENCIARLOS Y SABER ELEGIR LOS COMPONENTES ADECUADOS PARA REALIZAR CUALQUIER TIPO DE PROYECTO CON ABALORIOS.

Las fornituras suelen ser bastante económicas, fabricadas en metal bañado en plata, oro o níquel, aunque para proyectos de mayor envergadura también puede hacerse con piezas de mayor calidad, ya sea en plata, oro o cualquier otro metal precioso. Puede encontrar diversos tipos de fornituras en cualquier tienda especializada en abalorios o labores. Procure buscar siempre el tipo de pieza que mejor se adapte al proyecto que quiere realizar; si tiene dudas al respecto, consulte siempre con el experto.

En cuanto a las herramientas más usadas para trabajar con abalorios, la mayoría son objetos cotidianos que cualquiera puede encontrar en casa, como pueden ser unas tijeras, un bote de pegamento o una cinta métrica. A medida que vaya conociendo nuevas técnicas que requieran material más especializado, puede ir haciéndose con un pequeño «kit» de accesorios para su cajón de abalorios. Un buen conjunto de alicates con punta fina puede ser una buena idea para iniciarse.

A continuación analizaremos los tipos principales de fornituras, su uso más común y las posibles variantes de diseño, precio y calidad con las que se encontrará en el mercado.

TIPOS DE FORNITURAS

Existe una amplia variedad de componentes y accesorios que puede utilizar para fabricar sus propios collares, pendientes, pulseras y broches.

CIERRES

Dependiendo de la pieza que quiera fabricar deberá elegir un cierre adecuado para su proyecto; es decir, que sea capaz de soportar el peso de los abalorios e hilos usados, tener un diseño que vaya en sintonía con el usado en el collar o pulsera y ser cómodo de abrir y cerrar, dependiendo del uso que vaya a darle (las pulseras deben llevar cierres aptos para abrirlos y cerrarlos con una sola mano).

Existen tantas variantes de cierre como combinaciones de los elementos básicos más comunes en cada uno de los complementos que queramos generar.

TIPOS DE CIERRE MÁS COMUNES

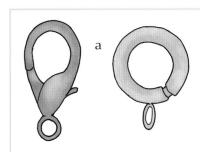

a) Tipos de mosquetón ovalado y redondo.
b) Anilla y gancho.
c) Cierre en T.

CIERRE CON MOSQUETÓN

Los cierres para collares suelen consistir en dos anillos, cada uno unido a un extremo del collar, uno de los cuales consiste en un mosquetón con una pequeña palanca para abrir y cerrar. Este tipo de cierres no son los más indicados para operar con una sola mano, por lo que no son muy usados en pulseras, pero son uno de los más comunes en collares, debido sobre todo a que son los más pequeños y discretos, y suelen resistir bien el peso.

CIERRE A TORNILLO

Los cierres a tornillo consisten en dos mitades metálicas que se atornillan juntas. Si son de buena calidad, son muy resistentes, pero los más baratos pueden llegar a deformarse, perdiendo efectividad. No es un cierre especialmente cómodo, por lo que no suele ser muy usado.

CIERRE DE ANILLA Y GANCHO

Otro tipo de cierre muy común es el que consiste en una anilla y un gancho, que puede servir tanto para pulseras como para collares. Hay que tener en cuenta que este tipo de cierre en ocasiones se abre con facilidad, por lo que en piezas pesadas puede ser necesario colocar una pequeña cadena de seguridad.

CIERRE EN T

Uno de los cierres más vistosos y atractivos es el llamado cierre en T. Como su propio nombre indica, consta de una anilla decorativa más o menos grande y un tope alargado con forma de T (unido al collar o pulsera mediante una pequeña cadena). Para cerrar la pieza, únicamente hay que introducir el tope dentro de la anilla en posición vertical, y una vez haya pasado, volver a colocarlo horizontalmente para que no se salga. Es un cierre bastante resistente, y sirve tanto para collares como para pulseras.

CIERRE DE CLIP

Los cierres de clip a menudo tienen una parte decorativa que se puede integrar en el diseño de la pieza, conectada al otro extremo del broche con un cierre hermético. Son muy comunes en pulseras y collares cortos, como gargantillas.

ARETES
Los aretes no tienen abertura y se usan generalmente para los cierres.

ARETES Y ANILLAS
Son unas de las piezas más versátiles, ya que con ellas podrá crear cierres, cadenas y todo tipo de enganches para unir cualquier adorno a su collar.

ANILLAS
Las anillas con una abertura pueden ser redondas o con forma ovalada, y son especialmente prácticas para crear pendientes colgantes.

BASTONCILLOS DE CABEZA DE ALFILER Y DE CABEZA DE ANILLA

Son unas de las piezas imprescindibles para la confección de cualquier collar, pendiente, pulsera, llavero y todo aquello que nuestra imaginación quiera crear.

Existen diferentes variantes de bastoncillos para adaptarse a los elementos más comunes en cada uno de los complementos que queramos generar.

a)   Bastoncillos con cabeza de anilla.
b)   Bastoncilos con cabeza de alfiler.

BASTONCILLO CON CABEZA DE ALFILER

Los bastoncillos con cabeza de alfiler son parecidos a un alfiler regular, solo que algo más largos y con la punta roma. La cabeza sirve como tope para introducir por el bastoncillo abalorios y evitar que se caigan. Tenga en cuenta que si la abertura de la cuenta es más grande que la cabeza del bastoncillo, habrá que introducir un casquete decorativo, una rocalla u otra cuenta más fina que tenga una abertura menor; o si no, corre el riesgo de perder el abalorio. El otro extremo del bastoncillo es maleable, y con la ayuda de unos alicates puede crear una anilla para ensartar la pieza donde desee.

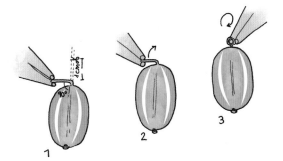

BASTONCILLO CON CABEZA DE ANILLA

El bastoncillo con cabeza de anilla funciona exactamente igual, pero en lugar de un tope, en el extremo tiene otra anilla, de manera que podrá usar la cuenta ensartada como un eslabón.

CIERRE DE PENDIENTES

Existen diversas variantes de bastoncillos para adaptarse a los elementos más comunes en cada uno de los complementos que queramos generar.

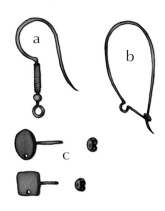

a) Base de garfio.
b) Base de garfio.
c) Tuercas.

Pendientes de tuerca

GARFIOS Y BASES PARA PENDIENTES Y ANILLOS

Los hay de garfio, de tuerca y otros cierres especiales para personas que no tienen las orejas perforadas (los cierres en clip o con imanes). Los más comunes para collares largos y vistosos son los de forma de garfio. Las bases para anillos también son de todo tipo, pero lo más corriente es un disco en el que se puede colocar cualquier pieza.

Pendientes de garfio a)

GARFIOS Y TUERCAS

Los más comunes son los de forma de garfio o los de tuerca. Los de garfio son perfectos para pendientes más largos y vistosos, y las bases con tuerca pueden servir para diseños más discretos. También puede encontrar piezas decorativas para pendientes con las que rematar complementos muy llamativos.

Pendientes de garfio b)

ANILLOS

Los hay de muchos tipos, el más simple consiste en un anillo con un disco en el que puede pegar cualquier piedra o adorno. Para trabajar con abalorios, son muy prácticos los que incluyen un disco perforado, en el que se puedan coser o ensartar cuentas.

Anillos de cuentas de Swarovski

BASE DE ANILLOS Y PENDIENTES

Base para engarzar piedras válido para pendientes y anillos.

Base para anillo engarzado con piedras

BASES PARA COLLARES Y PULSERAS

Es muy sencillo crear sus propios collares y pulseras, y no es necesario hacerse con materiales raros y costosos: la mayoría de objetos puede ofrecer muchas posibilidades para alguien con la mente abierta y ganas de poner en uso la creatividad, tan solo se debe dejar volar la imaginación y conocer las posibilidades de las fornituras, bases, capuchones y barras, así como el resto de los materiales que mostramos.

BARRA ESPACIADORA

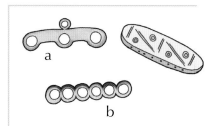

La barra espaciadora puede ser de madera, metal, cristal o arcilla polimérica para integrar su función práctica de separador de hileras con la función estética.

Modelo de gargantilla
con barras espaciadoras

BARRAS ESPACIADORAS

En pulseras o collares donde tenga más de una hilera es interesante usar esta pequeña pieza para mantener los hilos separados a la distancia adecuada. Una barra espaciadora puede ser simplemente una pieza más del collar que cumple su función práctica o uno de los principales puntos decorativos del proyecto. Elija siempre pensando en el diseño que busca.

CAPUCHONES Y CASQUETES PARA CUENTAS

Tienen múltiples usos, desde esconder nudos y «empequeñecer» la abertura de un abalorio, hasta ser meramente decorativo, añadiendo uno a cada lado de la cuenta para mejorar su apariencia. Elija siempre los casquetes según el tamaño de las cuentas que va a utilizar.

Vista frontal

Vista desde arriba

TAPANUDOS

Los tapanudos ocultan los cierres de las diferentes hileras creadas con abalorios que antes se han debido asegurar con una gota de pegamento.

CHAFAS

Las chafas se utilizan proporcionalmente al número de cuentas o abalorios para completar su función práctica con el carácter estético que proporciona su repetición sistemática.

TAPANUDOS

Similares a los casquetes para cuentas, los tapanudos son capuchones que se pueden enganchar al cierre, ocultando la terminación de la hilera o las hileras de cuentas que componen el collar. También pueden usarse únicamente como embellecedores.

CHAFAS

Otra de las fornituras más versátiles junto con las anillas, las chafas, son pequeños soportes que se utilizan para asegurar el hilo, bien en los extremos del collar, o para fijar un abalorio en un punto concreto. Las hay con forma de anilla, lazo o cubo, dependiendo del tipo de hilo que utilicemos (por ejemplo, las de forma de lazo son perfectas para cordones de algodón, y las de forma de aro más pequeñas y metálicas son mejores para el hilo de nailon). Para ajustar las chafas a un hilo o cordón, tendremos que usar unos alicates de punta fina (preferiblemente plana).

ESPIRAL DE PROTECCIÓN METÁLICA O «FRENCH WIRE»

Estas espirales hechas de alambre enrollado sirven para proteger el hilo, bien para asegurar el cierre, o para soportar el peso de piedras o abalorios más pesados.

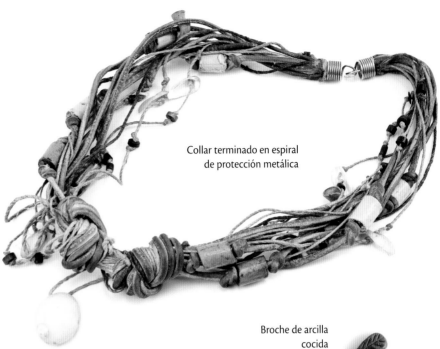

Collar terminado en espiral de protección metálica

Broche de arcilla cocida

BASES PARA BROCHES

Un broche permite personalizar cualquier vestuario con «glamour», estilo y diseño. Desde originales flores o mariposas, a divertidas salamandras de cristal, pueden adornar sobrias chaquetas.

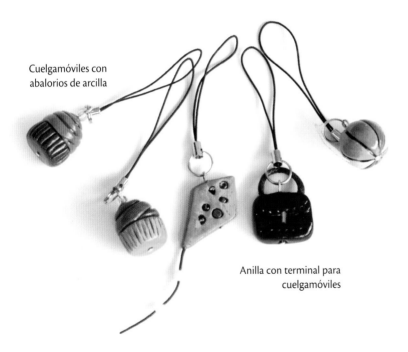

Cuelgamóviles con abalorios de arcilla

Anilla con terminal para cuelgamóviles

SOPORTES PARA BROCHES Y ALFILERES

Al igual que las bases para anillos, hay soportes para alfileres perforados, con los que podremos crear vistosos broches de abalorios.

TERMINAL PARA CUELGAMÓVILES

Existen en el mercado terminales especiales para este tipo de proyectos, los cuales constan de un hilo fino (generalmente de tela o plástico) para introducir el adorno por la ranura destinada a ello de su teléfono móvil y, en el otro extremo, una base metálica con una pequeña anilla. Las anillas de las terminales para adornos para teléfonos móviles pueden ser con forma de espiral, igual que las que se utilizan para los llaveros (aunque considerablemente más pequeñas), o tener una simple abertura que habrá que cerrar con alicates.

ELEGIR LAS FORNITURAS ADECUADAS PARA CADA PROYECTO

Ante la amplia oferta de fornituras, es importante tener en cuenta algunos factores antes de adquirir nada. Hay muchos criterios a la hora de elegir, desde el estilo de joyería que más nos gusta, o los tipos de cierres que más cómodos nos resultan, hasta seguir las modas o adquirir un tipo de cierre porque está de oferta.... Lo principal para comprar con sentido común es no ceñirse a un único criterio, sino valorar unos cuantos datos básicos que nos ayudarán a lograr resultados exitosos con los componentes que elijamos.

El primer paso es puramente práctico: ¿Qué fornituras necesito? Si se va a fabricar una pulsera, tal vez no necesite chafas ni cierres demasiado pequeños, mientras que si la elección es un broche, los componentes serán muy distintos a los de un collar.

Hay algunas fornituras que se venden en paquetes grandes (como pueden ser las anillas o los ganchos para pendientes) y que es conveniente tener siempre en el cajón de abalorios para futuros proyectos (bastoncillos, protectores de hilo, etc.). Sin embargo, para proyectos de mayor envergadura puede ser interesante elegir fornituras «especiales» y únicas, que darán a nuestra pieza un carácter más personal.

Decidida la técnica que vamos a emplear, se debe pensar en el material necesario para cada proyecto. Si va a hacer un collar o una pulsera multihebras es interesante hacerse con dos (o más) tapanudos; o si va a emplear un broche o un cierre decorativo, será más conveniente usar espirales protectoras para hilos.

Hay dos datos que se deben tener en cuenta a la hora de determinar qué fornituras son necesarias. Por un lado, debemos fijarnos en el número de hileras. El otro punto que debe llamarnos la atención es el tamaño y, sobre todo, el peso de los abalorios. Si vamos a trabajar con piedras u otros abalorios pesados, hay que buscar cierres más firmes (o que incluyan una cadena de seguridad) y pensar en la posibilidad de usar protecciones para hilos. En estos casos es poco recomendable usar cierres endebles, como el cierre magnético. Tampoco tiene sentido usar un cierre

muy aparatoso y pesado para un collar de rocalla de poco peso.
Además de estos dos factores fundamentales, se debe tener en cuenta
el tipo de hilo que va a utilizar: si vamos a trabajar con hilo de algodón,
no tendremos las mismas necesidades que al trabajar con hilo metálico o
con nailon.

Cuando haya determinado el tipo de fornituras que va a emplear,
debe pararse a pensar en el diseño de la pieza que quiere realizar y
sopesar el papel de las fornituras en ese diseño. Los cierres pueden ser
absolutamente sencillos y discretos o convertirse en el principal atractivo
de una pieza. Piense en ello, y elija teniendo en cuenta la forma y el
color de los abalorios que va a utilizar.

Otro punto que no debe olvidar es la funcionalidad de la pieza.
Los collares suelen ser más complejos que una pulsera o un broche y
pueden llevar cierres más complicados. Las pulseras necesitan un cierre
no demasiado difícil de abrir y cerrar con una sola mano. Como,
además, las pulseras a menudo se llevan más golpes y se suelen
enganchar más que los collares, no deben sobresalir demasiado. A
menudo los cierres son más visibles que los de los collares, escondidos
tras el pelo o la ropa, así que puede arriesgar más y sorprender con un
bonito cierre en T o un broche decorativo.

Por último, y no por ello menos importante, otro factor a tener muy
en cuenta es el material del que están fabricadas las fornituras. El tipo
de material está íntimamente ligado al peso de la pieza, ya que no
todos los metales aguantan el mismo. Si tenemos algún tipo de alergia, o
vamos a regalar la pieza a alguien que pueda ser alérgico a algunos
metales, tendremos que asegurarnos de que no vamos a usar ningún
material potencialmente dañino. Existen algunos metales antialérgénicos
como el Zanak o el oro que son una apuesta segura.

Entre la amplia oferta de fornituras, se debe elegir la que más se adecúe a
nuestro proyecto y multiplicar los materiales tantas veces como hileras lleve el
complemento; tarea que requiere un estudio del tipo de abalorio que queramos
realizar para dotar a nuestro proyecto no solo de estilo propio, sino convertirlo
en una pieza cómoda y práctica de llevar.

HERRAMIENTAS Y ELEMENTOS

Para comenzar a trabajar con abalorios no necesita demasiadas herramientas específicas. Con un poco de hilo, aguja y unas tijeras puede elaborar una pieza sencilla, como una pulsera de rocalla o un collar. A continuación veremos algunas de las herramientas y materiales básicos para enfilar y engarzar, además de algunos accesorios con funciones más específicas y que puede ir adquiriendo a medida que mejora sus habilidades o conforme necesite alguna herramienta más especializada para una pieza.

Para empezar a trabajar con cuentas y abalorios, necesitamos las herramientas imprescindibles que nos facilitarán la tarea y reservar una superficie para tal fin, de manera que tengamos todo a mano para visualizar mejor todos los elementos que intervendrán en el proyecto.

Lo primero que debe tener en cuenta es la superficie de trabajo. Necesita una superficie plana y despejada, y que esté lo suficientemente iluminada. Ya que la mayoría de las cuentas son esféricas, conviene tenerlas siempre dentro de algún tipo de recipiente para que no se escapen, aunque mientras trabaja es más cómodo poder disponer de los abalorios en una superficie horizontal, lo que facilita coger cada pieza y visualizar mejor los colores y formas para el diseño que estamos creando. Una buena idea es colocar una toalla encima de la mesa, lo que ayudará a evitar que las cuentas salgan rodando. También puede utilizar una bandeja con bordes más o menos altos.

Saber elegir el tipo de hilo y las agujas adecuadas también es muy importante, así como las medidas más utilizadas. En definitiva, sacando el mejor partido de los objetos de los que ya disponemos en casa y adquiriendo alguna pieza específica (como un buen conjunto de alicates) estaremos equipados para comenzar a crear nuestros propios collares, pulseras, pendientes y adornos personalizados.

HILOS

Un material fundamental para el enfilado de abalorios es el tipo de hilo que va a sostener nuestro trabajo. Dependiendo del tipo de cuentas que vamos a utilizar, la técnica y el diseño de la pieza, podremos elegir entre una amplia gama de hilos, cables y cintas.

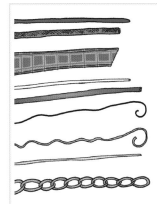

De arriba abajo: cordones de algodón y seda, cinta, hilo de nailon, alambre, hilo sencillo, hilo encerado para enfilar, hilo elástico y cadena.

CUERO O TELA

Pueden integrarse en el diseño de la pieza. Por ejemplo, puede crear un bonito collar simplemente con un hilo de cuero o piel y un medallón. Los cordones de algodón, seda u otros materiales están especialmente indicados para trabajos con nudos, tanto en pulseras como en collares, y pueden sostener piezas de mayor peso y tamaño.

Pulsera de hilo trenzada

Pulsera de hilo monofilamento

HILOS MONOFILAMENTO

Para enfilar y tejer con abalorios más pequeños, se suelen usar los llamados hilos monofilamento, que están fabricados con una única fibra en lugar de varias entrelazadas o tejidas como puede tener un cordón. Los hilos que se suelen utilizar en costura no son los mejores para enfilar, ya que no suelen ser muy resistentes y pueden deshilacharse.

Collar con hilo de
nailon de cristal

HILOS DE NAILON

Uno de los tipos de hilo más utilizado es el
hilo de nailon, o hilo de pescar, que resulta
bastante resistente y versátil para trabajos
de enfilado, aunque es algo rígido. Como
los nudos con este tipo de hilo tienden
a deshacerse, conviene siempre fijarlos
con un poco de pegamento.
Actualmente existen otros tipos de
hilos sintéticos más adecuados
para trabajar.

Pendientes y pulsera
con hilo encerado

Pulsera de hilo de
alambre

HILO DE SEDA ENCERADO

El hilo de seda encerado también es muy
resistente e idóneo, tanto para enfilar como
para tejer. Al ser menos rígido que los hilos
sintéticos está especialmente indicado para el
tejido de abalorios, ya sea con telas o a mano.

HILOS DE ALAMBRE

Los hilos de alambre son muy resistentes y están
especialmente indicados para cuentas pesadas o
cortantes. Puede encontrar hilo de alambre recubierto en
plástico al que se le puede dar un uso similar al del hilo
de nailon en piezas de más peso, pero los más usados son
los hilos tipo alambre de acero, cobre o latón. Los hay de
diferentes grosores, y con ayuda de unos alicates, podrá
darles forma y crear anillas y otros entramados en los que
colocar sus abalorios.

CADENAS METÁLICAS

Las cadenas metálicas también son muy versátiles, ya que puede encontrar infinidad de diseños con distintos eslabones, y puede unir a ellos cuentas usando bastoncillos de cabeza de alfiler o de anilla, argollas o hilo de alambre. Asimismo, en lugar de hilo puede emplear lazos o cinta decorativa. La hay de mil tejidos, colores y estampados diferentes, y con ella puede dar un toque realmente exclusivo a un collar, gargantilla o pulsera.

Collar con cuentas y cadena metálicas

MEDIDAS ESTÁNDAR PARA JOYERÍA

Los hilos de nailon, seda y algunos hilos metálicos pueden comprarse en bovinas, pero los cordones, las cadenas y las cintas suelen adquirirse por metros, por lo que es importante saber el largo que va a necesitar para su proyecto. Puede utilizar una cinta métrica para medir la longitud deseada directamente en la persona que va a llevar el collar o la pulsera, o puede usar medidas estándar más generales.

Collar matiné

Gargantilla

LAS MEDIDAS MÁS COMUNES

COLLAR CUERDA

A partir de 110 cm, es mucho más versátil y espectacular, ya que se le pueden dar varias vueltas. Era el tipo de collar preferido de Coco Chanel.

COLLAR MATINÉ

Se usa para estilos más informales, y mide entre 50 y 60 cm.

COLLAR ÓPERA

Más largo que los anteriores, se suele combinar con prendas de escote. Mide entre 70 y 85 cm.

COLLAR PRINCESA

Algo más largo que la gargantilla, mide entre 43 y 50 cm.

GARGANTILLA

Son los collares que van más ceñidos al cuello, y suelen medir entre 30 y 45 cm.

PULSERA

Dependiendo del ancho de la muñeca, pueden medir entre 16 y 22 cm.

AGUJAS

Hay agujas de distintas longitudes; elija la suya dependiendo del trabajo que vaya a realizar. Las más largas son cómodas para enfilar, y las cortas son mejores para bordados y el trabajo en tela. Utilice siempre una aguja que pase sin problema por el agujero de los abalorios.

Se debe tener en cuenta que en algunos trabajos hay que pasar el hilo varias veces por la misma rocalla, así que si la aguja pasa con dificultad la primera vez, se necesitará otra mucho más fina.

AGUJAS DE ENFILAR

Aunque para algunos proyectos puede utilizar agujas comunes, conviene conseguir al menos una aguja especial para enfilado. Las agujas de costura son afiladas y a menudo algo más gruesas en la zona del ojal, lo que puede dificultar el enfilado de algunas cuentas pequeñas como las rocallas. Las agujas de enfilado tienen un grosor uniforme, más fino que las normales, y no necesariamente una punta muy afilada. El ojal de este tipo de agujas también suele ser más corto para evitar que el hilo se mueva demasiado y que la aguja se ensanche en esta zona.

AGUJAS DE OJAL LARGO
Las agujas de ojal más largo sirven para trabajos sobre tela.

AGUJAS PARA TELAS
Las agujas especiales para tejidos, o las de bordar (como las de punto de cruz) suelen ser más grandes y con una punta más roma, por lo que están especialmente indicadas para trabajar con niños, usando cuentas grandes y un hilo elástico, por ejemplo. Para cuentas con agujeros especialmente pequeños puede usar hilo de cobre muy fino y enrollado.

BANDEJAS PARA ENFILAR

Aunque no son en absoluto imprescindibles, sí son muy prácticas, y un regalo ideal para alguien aficionado a tejer sus propios collares. Tienen una superficie suave, generalmente de fieltro o terciopelo, que impide que las cuentas rueden libremente, y al presentar surcos con forma de collar, facilitan mucho el proceso de selección y diseño de abalorios, además de marcas para medir. También incluyen varios compartimentos para apartar las cuentas mientras trabaja.

ALICATES

Una herramienta imprescindible para engarzar y trabajar con metales, los alicates, son básicos en joyería, y no tardarán en convertirse en uno de sus principales aliados para crear con abalorios. El modulo de alicates usado para este tipo de labores son los de punta fina. Es mejor buscarlos en una tienda especializada en abalorios que comprar los más pequeños que encuentre en una ferretería, ya que a menudo estos últimos no son lo bastante delicados y precisos para el trabajo que vamos a realizar. Hay tres tipos de alicates básicos:

ALICATES DE CORTE

Son los menos imprescindibles de los tres, ya que la mayoría de alambres finos se pueden cortar fácilmente con unas tijeras, pero si puede hacerse con unos, se asegurará de no estropear las hojas de sus tijeras. A menudo es suficiente con usar un alicate de bricolaje o un pelacables para esta función.

ALICATES DE PUNTA REDONDA

Las pinzas son completamente cilíndricas, y se usan para crear anillas. Este tipo de alicates es imprescindible para engarzar y crear cadenas y forniture personalizadas.

De corte

Punta redonda

Punta plana

ALICATES DE PUNTA PLANA

Las pinzas son redondeadas, pero planas en el centro, ideales para hacer dobleces, cerrar anillas y chafas, y sujetar cualquier pieza. Si tienen una punta más o menos afilada, servirán también para abrir aretes.

OTRAS HERRAMIENTAS

Las siguientes herramientas cotidianas son de gran utilidad para fabricar la propia bisutería: tijeras, pegamento, esmalte transparente y cinta métrica. Todos ellos los podemos encontrar en casa, no es material específico para elaborar los proyectos.

TIJERAS

Cualquier tipo de tijera puede servir para cortar el hilo de enfilar, de nailon, y la mayoría de alambres más o menos blandos. Procure tener las tijeras bien afiladas para no deshilachar y estropear hilos y cordones. Para alambres metálicos de mayor dureza siempre es mejor usar unos alicates o, si no, puede estropear la hoja de las tijeras.

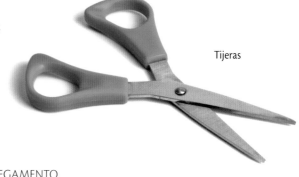

Tijeras

Pegamento

PEGAMENTO

Un buen pegamento multiusos transparente no debe faltar en su caja de labores con abalorios. Además de para pegar cuentas en las bases para anillos o para forrar objetos, es importante usar una gotita de pegamento para asegurar los nudos, especialmente cuando usamos hilo de nailon.

ESMALTE TRANSPARENTE

El esmalte de uñas transparente puede ser práctico para barnizar cuentas pequeñas, pero debe asegurarse de dejarlo secar completamente. También puede usarlo para fijar nudos si no tiene pegamento.

Esmalte

Cinta métrica

CINTA MÉTRICA

Es fundamental para determinar el largo de collares y pulseras, sobre todo si va a crear una pieza a medida para alguien a quien no le sirvan las medidas estándar.

TELARES

Tienen unas ranuras para sostener el hilo, de manera que pueda tejer con abalorios más fácilmente. No es una herramienta imprescindible, ya que hay muchos puntos para tejer con abalorios que no lo necesitan, pero si puede disponer de uno, logrará resultados mucho más uniformes y profesionales.

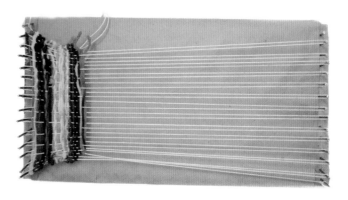

ALMACENAJE DE HERRAMIENTAS Y FORNITURAS

1. En su caja de abalorios puede crear una balda o un compartimento separado para guardar todo el material.

2. Las fornituras interesa tenerlas siempre bien guardadas, especialmente si hay niños pequeños. Si suele comprarlas al por mayor, debe tenerlas siempre separadas por categorías. Lo mejor es guardarlas en bolsitas de plástico transparente con cierre hermético: así podrá ver el contenido sin necesidad de abrirlas. Puede escribir en la bolsa con un rotulador permanente su modelo o grosor, de manera que al reponer existencias no se mezclen unas con otras.

3. Los hilos deben estar siempre bien atados, ya sea en su bobina original o sobre sí mismos si los hemos adquirido por metros. Podemos atar los cordones y otros hilos sueltos alrededor de un cartón, para evitar que se enreden.

Ejemplo de almacenamiento de abalorios

4. Puede guardar las agujas en una almohadilla de costura tradicional, aunque corre el riego de que se deformen. Es mejor tenerlas en una cajita donde estén más protegidas. Otro truco es pegarlas con cinta adhesiva a un trozo de cartón algo más largo que nuestras agujas.

5. Los alicates y las tijeras deben estar bien cerrados y sujetos para que no se muevan libremente por nuestra caja y descolocar o estropear el resto de materiales. Además, procure utilizar un contenedor capaz de soportar su peso.

6. Cierre bien siempre cualquier tubo de pegamento o esmalte.

7. Nunca deje su caja de abalorios al alcance de niños o mascotas.

CREAR LAS FORNITURAS

No es muy complicado crear anillas, ganchos o chafas con un poco de habilidad, alambre y unos alicates. Hay alambres de distintos grados de maleabilidad: elija uno adecuado para el uso que va a darle, por ejemplo, si va a hacer un gancho para pendientes, le interesa uno que no se deforme fácilmente una vez montado.

Giro de 180° sobre la tijera

Para crear un gancho, lo único que debe hacer es, con unos alicates de punta redonda, girar el alambre por la parte más ancha de la pinza del alicate a fin de crear la forma redondeada que posteriormente servirá para introducir el pendiente en la oreja. De esta manera puede elaborar también una anilla o una chafa.

Para el gancho de pendiente, simplemente doble con unos alicates planos el otro extremo del alambre para darle la forma deseada. Los tamaños de alambre más usados para este fin suelen ser entre 0,6 y 1,5 mm.

BISUTERÍA
práctica

Ahora que conocemos los materiales más usados y los distintos tipos de abalorios que existen, es el momento de aplicar ciertos criterios en cuanto a la combinación de colores para diseñar nuestra pieza. Nuestras posibilidades irán desde la utilización de los colores primarios (cian, magenta y amarillo) a toda la gama de colores secundarios que se obtienen mezclándolos, además de los imprescindibles blanco y negro.

Se debe trabajar siempre sobre una superficie plana y despejada, y es conveniente colocar una toalla o una pieza de fieltro para que las cuentas no rueden por la mesa.

ntes de aplicar ninguna técnica, debemos decidir el tipo de diseño en cuanto a los colores y conocer su uso para que el resultado se ajuste a nuestra idea de creación. Este paso es fundamental antes de adquirir los materiales:

Diseño monocromático: se usa un solo color y únicamente varía el tono. Es siempre una opción segura y discreta. **Diseño con colores análogos:** los colores análogos son los que están cerca dentro del círculo cromático (plantilla de color universal), como, por ejemplo, cuando utilizamos únicamente colores cálidos o fríos. Este tipo de diseños suelen ser armónicos. **Diseño con colores complementarios:** los colores complementarios están enfrentados en el círculo cromático y, combinándolos se pueden lograr resultados espectaculares, mucho más llamativos y contrastados que con los tonos similares, aunque son más arriesgados. Esta valoración cromática también se puede utilizar a la hora de diseñar nuestros propios abalorios, tanto en los reciclados, como en los polímeros, tela o papel.

TÉCNICAS
imprescindibles

SE DEBEN CONOCER LAS TÉCNICAS MÁS COMUNES PARA PODER REALIZAR CON NUESTRAS PROPIAS MANOS PULSERAS, COLLARES, PENDIENTES Y OTRAS PIEZAS DE BISUTERÍA CON LAS QUE SORPRENDER A AMIGOS Y FAMILIARES, O INCLUSO LLEGAR A VENDER DICHAS CREACIONES EN MERCADOS LOCALES O A TRAVÉS DE INTERNET.

Antes de diseñar un proyecto, tenemos que decidir la manera en la que vamos a organizar los abalorios y su disposición, así como las técnicas, los nudos de unión y los cierres utilizados.

Mostraremos paso a paso cómo realizar las distintas técnicas: enfilado, engarzado, bordado y tejido con abalorios y sus variantes; distintos nudos y trenzados para crear fabulosos diseños, ofreciendo la base necesaria para poder enfrentarse con seguridad a proyectos de mayor dificultad y envergadura.

TIPOS DE TÉCNICAS

Enumeramos las técnicas básicas para pasar a un estudio más detallado, con su representación gráfica, de los diferentes tipos y variantes en un paso posterior.

ENFILADO

Enfilar significa: «ensartar en un hilo, cuerda o alambre varias cosas». Existen diferentes técnicas de enfilado: simple, múltiple, cruzado y en escalera, y con formas. Las cuentas son los elementos más utilizados en la creación de abalorios y se dividen en:

Cuentas principales: son aquellas que constituyen el motivo central de la pieza y suelen ser las más llamativas.

Cuentas secundarias: son piezas de menor tamaño que las cuentas principales y se suelen colocar a continuación de estas.

Cuentas terciarias o de relleno: son las que se utilizan para rellenar los huecos entre las piezas de mayor importancia.

ENGARZADO

Es unir las piezas con la ayuda de bastoncillos de cabeza de alfiler o de anilla, o creando tus propios bastoncillos con alambre y unos alicates. Este tipo de fornituras sirven para sostener uno o varios abalorios en cada fragmento. Se pueden unir entre sí formando una cadena, o engancharlos a los eslabones de una cadena metálica. Con la segunda opción los abalorios quedan colgando, como es el caso de las pulseras con «charms», mientras que con la primera opción se obtiene una hilera de cuentas similar al enfilado en hilo.

Colocamos los abalorios en fila, creando un patrón determinado antes de empezar a trabajar y probamos con distintas combinaciones antes de tomar una decisión.

BORDADO

Además de su uso en bisutería, los abalorios se pueden bordar en tela de una manera muy sencilla, lo que nos permitirá dar un toque personal y creativo al vestuario. Consiste en coser, basándose en un dibujo, cuentas de diferentes colores, tamaños y formas.

TEJIDO

Combinar las puntadas básicas para crear tejidos con abalorios. Además de entramados que podrás usar como una tela, podrás crear tubos o diseños tridimensionales más complejos.

VARIACIONES DE ENFILADO

A continuación detallaremos paso por paso las variaciones que admite
el enfilado para crear diseños exclusivos.

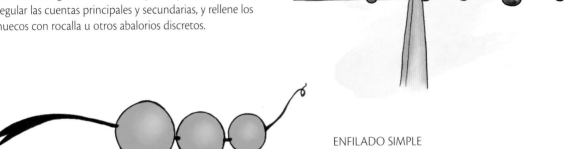

ENFILADO

Utilice una regla o cinta métrica para espaciar de manera
regular las cuentas principales y secundarias, y rellene los
huecos con rocalla u otros abalorios discretos.

ENFILADO SIMPLE

Cuando hablamos de «enfilar» nos referimos al
simple acto de insertar cuentas o abalorios en
un hilo, cable, cordón o lazo. El material, grosor, consistencia y elasticidad que tenga nuestro hilo será un factor
determinante del resultado final. Interesa diferenciar entre dos tipos de hilo dependiendo de su corte: los hilos de corte
redondo y los hilos de corte plano.

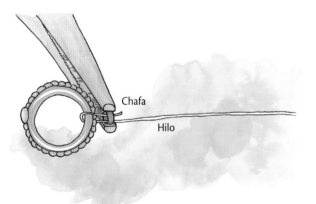

Chafa

Hilo

ENFILADO CON CHAFAS

Primero debe marcar los puntos donde quiere colocar
los abalorios. En uno de los extremos del hilo coloque el
cierre, doble el hilo y ponga una chafa sujetando el bucle.
Fije bien la chafa, sosteniendo así el fragmento de hilo
del que colgará el cierre, dejando algo de margen para
que no quede demasiado rígido.

Una vez que la chafa esté colocada, corte el
extremo de hilo sobrante.

ENFILADO CON CHAFAS EN UN COLLAR

Enfile una chafa y la cuenta que vaya a colocar. Sitúe la
cuenta en el punto marcado con anterioridad y coloque la
chafa justo al lado, fijándola con unos alicates. Deje caer la
cuenta sobre la chafa y enfile una segunda chafa. Fíjela con
alicates sobre el abalorio. Si no quiere incorporar la chafa al
diseño de la pieza, puede adquirir chafas especiales que van
ocultas dentro de otra cuenta, o esconderlas.

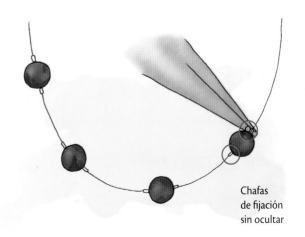

Chafas
de fijación
sin ocultar

¿CUÁNTA HEBRA NECESITO?

No es fácil calcular la longitud de hilo que un proyecto va a necesitar. La mejor opción es probar con distintos largos en cada nueva técnica, hasta encontrar el más cómodo. Es aconsejable empezar siempre con una hebra larga, e ir cortando poco a poco.

Carrete de hilo

Hebra

HEBRAS LARGAS: el largo mayor que utilizaremos es el equivalente a la extensión de nuestros brazos, nunca más. Cuanto más larga sea la hebra, más difícil será maniobrar con ella, y las posibilidades de nudos y enredos aumentan. Una forma de evitar enredos es estirar la hebra, o aplicar cera especial para hilos. La ventaja de trabajar con hebras largas es que, al no tener que añadir extras, se suele tardar menos tiempo.

HEBRAS CORTAS: el principal problema de una hebra corta es que nos tocará añadir hilo antes o después. En caso de que tenga que añadir hilo, procure dejar unos 15 cm por lo menos. En algunas piezas pesadas puede ser una buena idea añadir hilo varias veces, siempre reforzando bien las uniones, lo que aportará consistencia a la pieza.

ENFILADO MÚLTIPLE

La técnica de enfilado múltiple consiste en crear varias tiras simples y unirlas. Sus posibilidades son enormes: se puede jugar con los largos de las filas de cuentas, trenzarlas, utilizar separadores, distintos tipos de hilo por sarta, etc. Para unir las hileras de abalorios podemos utilizar tapanudos o cierres con separadores.

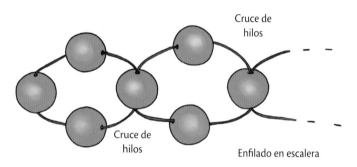

Cruce de hilos

Cruce de hilos

Enfilado en escalera

ENFILADO EN ESCALERA

Para obtener un efecto de escalera con las cuentas colocadas unas junto a otras, se debe enfilar y cruzar el mismo número de cuentas. Por ejemplo, enfile dos abalorios y cruce en otros dos. Esta colocación más regular sirve como base de la puntada ladrillo.

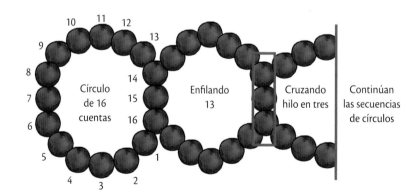

Círculo de 16 cuentas

Enfilando 13

Cruzando hilo en tres

Continúan las secuencias de círculos

ENFILADO EN CÍRCULOS

La clave es dejar siempre más cuentas a los lados que cuando cruzamos hilos. Si cruzamos hilos en una sola cuenta, necesitaremos enfilar por lo menos dos a cada lado antes de cruzar de nuevo. En el ejemplo tenemos círculos de 16 cuentas, cruzando en tres cada vez. Comenzamos por enfilar 13 y luego hemos cruzado los hilos en tres. Para cada círculo siguiente habrá que enfilar en cada hilo cinco cuentas y cruzar de nuevo en tres.

ENFILADO EN CUADRADOS

Enfilaremos a cada lado el mismo número de cuentas que cuando cruzamos los hilos. Cada lado de los cuadros tiene tres cuentas, así se enfilan nueve en el centro del hilo, cruzando en tres más hasta llegar al total de 12 que lleva cada cuadro. Para cada nuevo eslabón, añadiremos tres abalorios a cada lado, cruzando en otros tres.

Continúan las secuencias de cuadrados

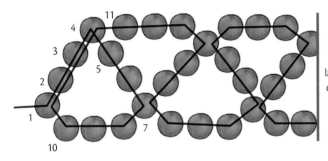

Continúan las secuencias de triángulos

ENFILADO EN TRIÁNGULO

Comenzaremos por enfilar 10 abalorios. Una vez enfilados, volveremos a pasar el hilo por los cuatro primeros, formando así el primer lado del triángulo. Los seis abalorios siguientes formarán el segundo triángulo, que comparte cuatro con el anterior. Se vuelve a pasar el hilo por el abalorio número 7. Enfile otros seis, y vuelva a pasar el hilo por el vértice izquierdo del triángulo 2. Para completar la serie, vaya enfilando seis abalorios cada vez, y vuelva a pasar el hilo por el vértice izquierdo del triángulo anterior.

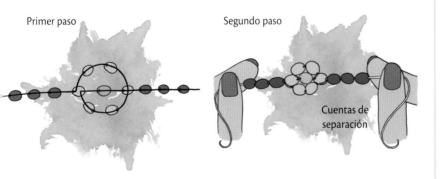

Primer paso

Segundo paso

Cuentas de separación

ENFILADO CON FLORES

Enfile tres abalorios azules y los seis blancos que formarán cada flor. Vuelva a pasar el hilo por el primer abalorio blanco, y enfile uno naranja que quedará en el centro del bucle. Vuelva a pasar el hilo por el cuarto abalorio blanco, y enfile tres azules para separarlo de la siguiente flor.

FORMAS DE CRUZAR EL HILO

Podemos cruzar el hilo de tres maneras diferentes al añadir un nuevo abalorio:

EN CÍRCULO: para hacer un círculo, tenemos que pasar el hilo de nuevo por la cuenta anterior, creando un bucle. Esto es lo que haremos para crear una bola de retención al principio del enfilado: una puntada en círculo sobre una sola cuenta.

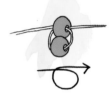

PASAR EL HILO: simplemente pasar el hilo por la cuenta indicada, en la misma dirección que estamos trabajando. Normalmente se pasa el hilo por cuentas ya enfiladas para crear curvas y círculos.

CRUZADO: para cruzar los hilos, debemos introducir el hilo en la dirección opuesta a como lo enfilamos la primera vez, formando una cruz en el interior del abalorio.

CUSTOMIZAR PRENDAS

Customizar un bolso o unas zapatillas de tela con abalorios es más sencillo de lo que se cree.

Comience por dibujar el diseño elegido en la pieza con un bolígrafo especial para telas cuya tinta se borre al agua o al aire. Si va a tejer sobre una pieza oscura, puede utilizar un poco de jabón para marcar su diseño.

BORDADO

Cualquier vestido, bolso o complemento admite el bordado de abalorios y le añade al diseño un toque exclusivo.

BORDAR

Hagan un nudo en un fragmento de hilo y déjelo por el revés de la tela. Dependiendo del diseño que vaya a hacer, puede bordar las cuentas de una en una o en grupos. El resultado siempre será más regular si bordamos las cuentas de una en una.

Si usa abalorios de varios colores, puede jugar con la dirección de las hileras, creando diferentes texturas.

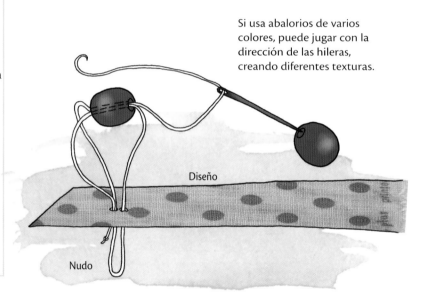

Diseño

Nudo

BORDAR VARIAS CUENTAS

Para trabajar con varias cuentas, enfile el número deseado, por ejemplo, cuatro, y vuelva a pasar la aguja por el tejido. Vuelva atrás, volviendo a pasar el hilo por las dos o tres últimas cuentas, y enfile otro grupo de cuatro, repitiendo la operación. Siga así hasta completar una hilera.

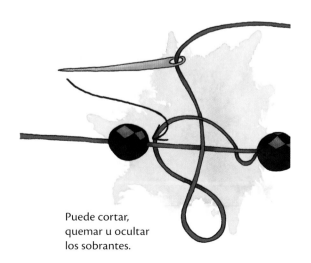

Puede cortar, quemar u ocultar los sobrantes.

AÑADIR HILO A LA LABOR

Es importante dejar, como mínimo, 15 cm de hilo antes de cambiarlo. Vuelva a pasar el hilo por las últimas cuentas enfiladas, si puede ser en varias direcciones, y haga uno o varios nudos como el que muestra la imagen, volviendo a pasar el hilo una vez más por la cuenta más cercana, y añada una nueva hebra siguiendo la misma técnica. Procure realizar los añadidos cerca de la mitad de la labor y nunca en el extremo. Es aconsejable no cortarlos hasta terminar, para saber en qué punto está cada empalme.

TEJER CON ABALORIOS

Combinando las puntadas básicas podrá crear tejidos con abalorios, que multiplican las posibilidades del enfilado tradicional. Las puntadas para tejer con abalorios están especialmente indicadas para trabajar con rocalla y perlas pequeñas, pero puede adaptarlas para trabajar con todo tipo de abalorios usando cuentas lo más regulares posible.

PUNTADA LADRILLO

1. Empiece creando un enfilado en escalera con una sola cuenta. Al terminar, use la hebra que sobresale por arriba, desechando la otra. Enfile dos cuentas al comenzar cada fila y pase la hebra por el hilo que separa las dos últimas cuentas de la fila anterior, como muestra la imagen, volviendo a pasar el hilo por la última cuenta enfilada.

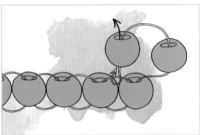

Primer paso

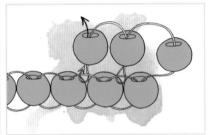

Segundo paso

2. Vaya añadiendo cuentas y pasando la hebra por el hilo de la fila anterior y luego de nuevo por la cuenta añadida hasta terminar la fila, y comience la siguiente añadiendo dos cuentas una vez más.

PUNTADA CUADRADA

Empiece por realizar una bola de retención y enfile el número de abalorios que quiera que tenga de ancho la pieza que va a realizar; esta será nuestra primera fila. Enfile otro abalorio, y vuelva a pasar el hilo a través del último de la fila anterior, para acto seguido volverlo a pasar de nuevo por el abalorio enfilado, tal y como muestra la imagen. Enfile una segunda cuenta, pase el hilo por la cuenta de abajo, y vuelva a pasarlo por la última cuenta enfilada. Continúe hasta completar la fila.

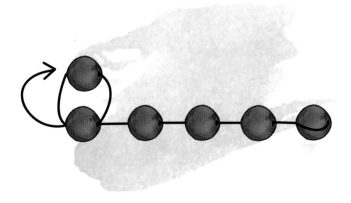

PLANTILLA

Puede crear sus propios diseños con la puntada ladrillo siguiendo la tabla y el diseño bocetado.

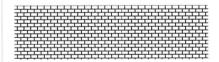

Esquema en blanco para crear sus propios diseños.

Esquema con un dibujo preparado para seguirlo.

PUNTADA PEYOTE

Para comenzar, cree una bola de retención y enfile el doble del número de abalorios que tenga de ancho la pieza, ya que las primeras cuentas enfiladas conformarán las dos primeras hileras. Si ha comenzado por un número par de abalorios, para crear la siguiente hilera, enfile otra cuenta y, saltándose la anterior, vuelva a pasar el hilo por la siguiente. Siga así hasta completar la fila. Una vez termine esta fila, tendrá las tres primeras de la pieza, que ya habrá adoptado su forma característica: las cuentas quedan en zigzag, en forma de H.

A continuación simplemente tendrá que pasar el hilo a través de las cuentas que sobresalen, colocando una nueva cuenta entre medias cada vez, hasta lograr el largo deseado.

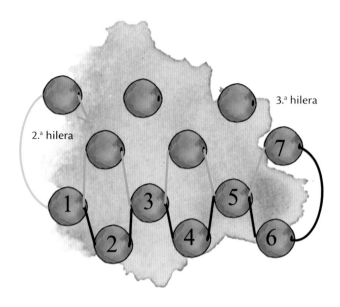

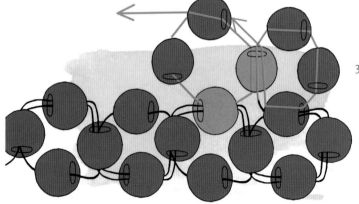

PUNTADA EN CÍRCULOS «RIGHT ANGLE WEAVE»

1. Empiece por enfilar cuatro cuentas y vuelva a pasar el hilo en círculo hasta que sobresalga por el lado contrario de la caja, tal y como muestra la imagen.

2. Para crear la segunda caja, enfilaremos tres cuentas, volviendo a pasar de nuevo el hilo, de manera que ahora haya dos rombos entre nuestra hebra. Siga enfilando tres cuentas cada vez hasta obtener la longitud deseada. En la última cajita debe hacer que el hilo salga por la cuenta superior.

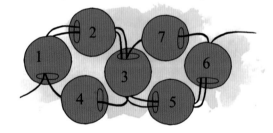

3. Para crear la primera cajita de la segunda fila, simplemente hay que enfilar tres cuentas y volver a pasar el hilo por la cuenta desde la que salimos y la primera cuenta que enfilamos. La siguiente cajita ya tiene dos de los lados, así que solo tendremos que enfilar dos nuevas cuentas para completarla. Compruebe cada vez los lados que ya están y enfile las cuentas necesarias hasta terminar.

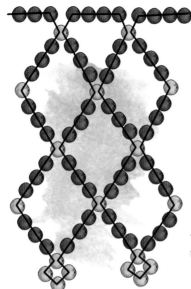

TEJIDOS EN RED

También llamado tejido en vertical, ya que se trabaja con una sola hebra con la que iremos tejiendo de manera vertical. Es muy usado para crear bordes en tela o en otros tejidos con abalorios, y también sirve para forrar abalorios. Cada rombo de la red tiene el mismo número de cuentas en cada lado, con los vértices compartidos por los rombos de su alrededor. Se suelen usar entre tres y cinco cuentas para cada lado, aunque se añaden más para obtener una red más abierta.

Tejido en red con
forma de rombo.

ENGARZADO

Esta técnica consiste en insertar un bastoncillo metálico por el agujero del abalorio, quedando este sujeto por un tope al final del bastoncillo y creando una anilla con el alambre sobrante en el otro extremo del abalorio. Se puede utilizar esta técnica para crear colgantes a los que puede añadir a una hilera de cuentas, o adaptarla para adornar un anillo o un broche. También es perfecta para crear originales pendientes largos.

ABRIR UNA ANILLA

Para abrir una anilla es mejor sujetar cada extremo de la abertura con unos alicates. No se debe empujar hacia fuera, ya que puede deformarse, e incluso romperse. Con uno de los alicates, lleve uno de los extremos hacia usted, sostenga firmemente el otro, abriendo la anilla de manera lateral: de esta forma se asegurará de que una vez cerrada no se abrirá con facilidad.

ENGARZADO CON BASTONCILLO

1. Para engarzar un abalorio en un bastoncillo metálico, debe empezar por enfilar la cuenta. Corte el extremo sobresaliente del bastoncillo dejando aproximadamente 1 cm.

2. y 3. Colocando la punta de los alicates al final del alambre, gire la muñeca para crear una anilla. Saque los alicates y termine de darle forma a la anilla hasta que sea completamente redonda.

Giro hacia arriba

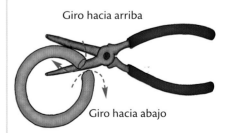

Giro hacia abajo

TEJER CON EL TELAR DE ABALORIOS

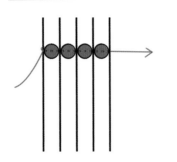

Enfile cuatro rocallas y páselas por debajo de los hilos de la urdimbre. Empuje las cuentas hasta que cada una quede entre dos hilos.

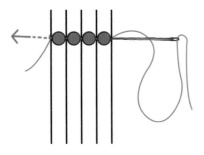

Vuelva a pasar la aguja por las rocallas, de manera que pase por encima de los hilos de la urdimbre.

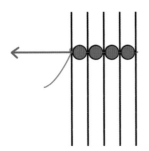

Tire de la hebra para que las cuentas queden bien colocadas y fijas en su lugar. Repita la operación hasta tener tantas filas como desee.

EL TELAR

Los telares para abalorios están compuestos de dos tornos con un tornillo donde se van enroscando los hilos, y dos tornillos entre cuyas muescas se colocarán los hilos que componen la urdimbre del telar.

PRIMER PASO

Corte un fragmento de hilo para cada cuenta del ancho del proyecto por realizar, más un trozo extra. Coloque cada mitad a un lado del tornillo de uno de los tornos del telar, y dé algunas vueltas para sostener firmemente el hilo al tornillo. Estire los hilos y hágalos pasar por encima de la barra o tornillo superior.

Coloque cada hilo en una de las muescas del tornillo y, con cuidado, haga pasar los hilos por encima del segundo tornillo. Ordene bien los hilos y colóquelos sobre su muesca correspondiente en el segundo tornillo.

Enrolle los hilos alrededor del tornillo del segundo torno del telar, y gírelo para tensar los hilos. Con una aguja, asegúrese de que cada hilo está colocado en la muesca correcta y que ningún hilo se cruza con los otros. Enhebre en una aguja unos 180 cm de hilo y anude el otro extremo al hilo de la urdimbre que está más a la izquierda, dejando aproximadamente 1 cm respecto al tornillo superior.

AÑADIR HILO EN EL TELAR

1. Simplemente, pase la hebra hacia atrás por las cuentas de la labor, unos 2 o 3 cm.

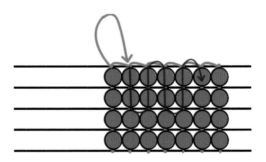

2. Vuelva a enhebrar la aguja y, comenzando a unas cinco o seis filas del final, vaya pasando el hilo por las cuentas en zigzag hasta llegar de nuevo al punto donde se quedó. Anude el hilo en el extremo izquierdo de la urdimbre y siga tejiendo cuentas.

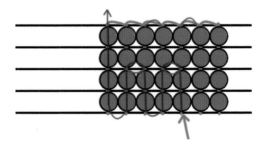

TERMINAR LA LABOR EN EL TELAR

Retire la labor del telar y corte un poco los hilos de los extremos. Vaya enhebrando la aguja en cada uno de los hilos y teja hacia atrás por la labor, pasando por encima y por debajo de los hilos horizontales, unos 2 o 3 cm. Pase la hebra en zigzag por algunas de las cuentas de las hileras y corte el hilo a ras de la labor. Puede dejar una o dos hebras libres para hacer una anilla o un cierre.

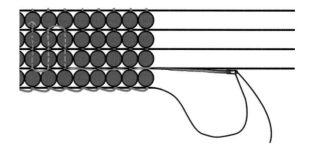

LA URDIMBRE

La urdimbre son los hilos verticales que van de un lado a otro del telar.

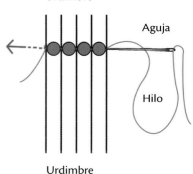

El telar facilita el diseño de los collares llamados étnicos, que recuerdan a los que porta el pueblo masái y que han llegado hasta la actualidad por el contraste de colores y la utilización de figuras geométricas en su diseño.

La primitiva vestimenta de rafia africana dejó de utilizarse cuando se introdujo el algodón. Tradicionalmente, los tejidos se utilizaban en África como adorno y símbolo de ostentación, más que para abrigar. Por tanto, se buscaba preferentemente el diseño y la combinación de colores en lugar de su función práctica, de ahí la vistosidad de cada uno de los complementos que portan las diferentes tribus.

La fibra textil se trabaja aún hoy con telares de madera cuya mecánica se mantiene invariable. Todo este conocimiento se ha trasladado a todas sus creaciones y adornos. Mediante técnicas lentas, incómodas y elementales, se consiguen unos resultados notables, donde el color es su mayor seña de identidad. Además del índigo, continuamente usado, se utilizaban otros pigmentos para obtener el negro, el amarillo y el rojo, y combinaciones de estos sobre sencillos dibujos geométricos.

Pulseras y brazaletes con dibujos originales masáis.

Los nudos sirven para fijar una cuenta en su lugar, además de ser muy prácticos para los cierres, en bordados o para conectar o añadir hebras. Los nudos pueden incluso formar parte del diseño de una pieza, actuando prácticamente como un abalorio más.

NUDOS

Vamos a hacer una distinción en tres tipos diferentes de nudos, dependiendo de su funcionalidad: los nudos decorativos o de tope, los nudos de unión o conectores y los nudos corredizos.

Los **nudos decorativos o de tope** son los más sencillos e intuitivos, y a menudo se usan como base para crear otros nudos más complejos. Lo más importante cuando hagamos un nudo de tope es que sea lo bastante grande como para sostener el abalorio, por lo que debe tener mayor volumen que la perforación de la cuenta, considerando que a veces, con el uso, el nudo puede ceder disminuyendo su volumen, así que siempre es mejor que hagamos el nudo algo más grande de lo que se puede prever en un principio. Una segunda función para los nudos de tope es colocarlos en los extremos del hilo, de manera que impidan que este se deshilache. Algunos de estos nudos pueden ser realmente bellos y cumplir (al igual que las chafas) un papel decorativo en una pieza.

Los **nudos conectores o de unión** sirven para empalmar los extremos de dos cuerdas, y en bisutería son muy útiles sobre todo cuando necesitamos añadir más hebra a nuestra labor. Para conseguir una unión segura y resistente, se debe procurar que los dos cabos por unir sean iguales, y si no es posible, al menos intentar que el grosor y el material del que están compuestos sean lo más similares posible. Al unir hilos de distinta consistencia (por ejemplo, un cordón y una cinta), no se suelen conseguir uniones demasiado firmes, pero pueden usarse como parte del diseño de la pieza. Una variante de este tipo de nudos son los trenzados, que además de cumplir la función de unión, tienen un importante valor como elemento decorativo.

En cuanto a los **nudos corredizos**, tienen diversas utilidades en bisutería, y constituyen uno de los cierres más sencillos y cómodos que se le puede dar a un collar o a una pulsera. Este tipo de nudos pueden deslizarse a lo largo del cordón dependiendo de la tensión: a mayor tensión, más cerca se sitúan del punto donde originariamente se hizo el nudo; y aligerando la tensión, pueden arrastrarse en dirección contraria.

NUDOS DE TOPE

Su función es impedir que la cuerda se deslice a través de un orificio, por lo que son perfectos para colocar abalorios en su sitio, de la misma manera que actuaría una chafa.

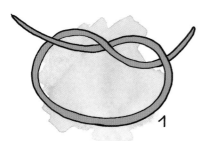

NUDO SIMPLE

La forma de realizar un nudo simple es crear un bucle con uno de los extremos del hilo y, pasando por debajo del hilo, pasar de nuevo el extremo por el aro del bucle y tirar, tal y como muestra la imagen 1.

Introduzca una aguja a través del bucle del nudo, y antes de cerrarlo, mueva el bucle hasta el punto necesario con ayuda de la aguja (imágenes 2 y 3).

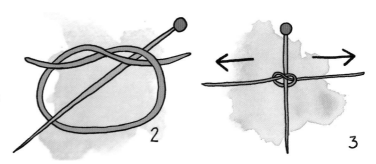

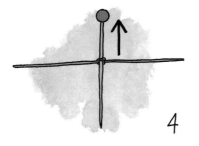

Una vez colocado el nudo en su sitio, hay que tensarlo y sacar la aguja.

Su principal función es impedir que el hilo pase por el orificio de la cuenta, sosteniéndola en su lugar.

MEDIO NUDO MÚLTIPLE O NUDO DE SANGRE

La forma de realizarlo es igual que un nudo simple, aunque pasando más veces el extremo del hilo por el agujero (imagen 1). Al tensarlo, debe mantener el bucle abierto y algo flojo, y colocar con cuidado las vueltas en su sitio a la vez que se tira suavemente de los dos extremos, haciéndolos girar en direcciones opuestas (imágenes 2 y 3).

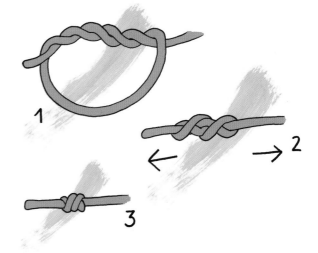

Se utiliza en los extremos de los cordones, a modo de peso, además de tope, y en bisutería como tope para colgar cuentas con hilo.

NUDO EN OCHO

Empiece haciendo un bucle como el de la imagen 1, y a continuación pase el extremo del hilo por el bucle (imagen 2), tirando suavemente de los dos extremos (imagen 3).

El nudo en ocho es fácil de deshacer, por lo que puede llegar a ser muy práctico como nudo de apoyo mientras trabajamos.

Los nudos no solamente pueden empalmar los extremos de cuerdas, sino que pueden formar una parte exclusiva de nuestro abalorio creando unos diseños atractivos.

NUDOS DE UNIÓN

Como su propio nombre indica, son los nudos que se usan para unir o empalmar los extremos de la cuerdas y en bisutería se emplean unidos cuando se necesita añadir hilos a nuestro trabajo. Para conseguir nudos firmes y resistentes debe tener en cuenta que:

1. No se deben unir hilos de distinta consistencia; por ejemplo, una cinta con un hilo de algodón nunca conseguirá uniones firmes.
2. Procure siempre que los cabos que se vayan a unir sean iguales, y si no es posible, por lo menos que tengan el mismo grosor.

NUDO DE RIZO O CUADRADO

El primer nudo se realiza de izquierda a derecha, y el segundo de derecha a izquierda, de manera que cada extremo del cable quede mirando al mismo lado del que partió.

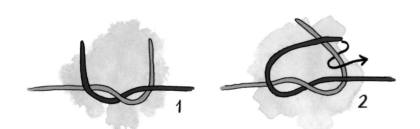

1. Primer paso.
2. Segundo paso.
3. Tercer paso o finalización.

El nudo de rizo se suele usar sobre todo para atar los dos extremos de un cordón. También sirve para asegurar objetos en el hilo principal, ya que forma una especie de anilla, y es uno de los nudos básicos en macramé.

NUDO DE CIRUJANO

La forma de realizarlo es prácticamente igual que en el caso anterior, solo que en uno de los nudos (casi siempre el superior), se efectuarán más vueltas; cuanto más largo queramos que sea, más vueltas habrá que dar.

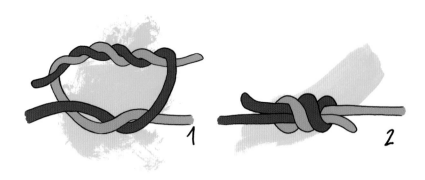

El nudo de cirujano es una versión más resistente del nudo cuadrado, y recibe su nombre por ser el más utilizado por los cirujanos durante la Segunda Guerra Mundial para realizar puntos de sutura.

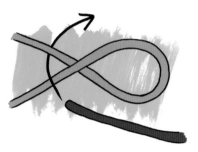

1. Creación de la curva con el hilo marrón claro.

2. Paso de hilo marrón oscuro por la curva creada con anterioridad con el hilo marrón claro.

3. Resultado final.

El nudo Carrick es uno de los más estables, ya que no tiende a deslizarse. Está compuesto por dos nudos simples que se cruzan entre sí.

NUDO CARRICK O CARRACA

Para realizar un nudo Carrick, con uno de los extremos del hilo se hace una curva como la que muestra la imagen, y se pasa el otro extremo entre los lados de la abertura y a través del círculo.

NUDOS CORREDIZOS

Entendemos por nudos corredizos aquellos que se pueden mover abriendo o cerrando el espacio entre los hilos que los componen. Son los más usados en bisutería para cerrar pulseras, pues permiten adaptarse sin dificultad al grosor de cada muñeca.

La facilidad para deslizarse por el cordón los convierte en unos nudos sencillos y cómodos, y con la simple tensión de uno de los extremos podemos situarlos más o menos cerca del punto donde se crearon y aligerando la presión, alejarlos.

Nudo corredizo

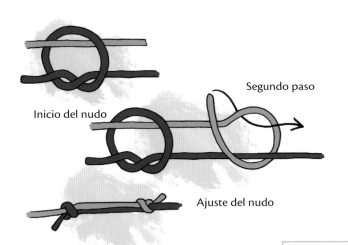

Inicio del nudo

Segundo paso

Ajuste del nudo

NUDO CORREDIZO SIMPLE

Empiece por colocar los dos cordones paralelamente y haga un nudo simple con el cabo de la izquierda sobre el de la derecha.

Con el extremo derecho, haga a su vez un medio nudo sobre el izquierdo. Puede deslizarlos hacia el centro, uniendo los dos nudos para agrandar la pieza, y para ajustarla deslice, los nudos en sentido contrario.

Al nudo corredizo simple también se lo conoce como nudo de pescador, y es muy práctico para el cierre corredizo en collares o pulseras.

NUDO DE PESCADOR DOBLE

Empiece creando un nudo en ocho (si lo desea, puede aumentar las vueltas). Pase el segundo cabo por dentro de la lazada del nudo, tal y como muestra la imagen 2, y realice otro nudo en ocho al otro lado. El extremo de cada cabo debe quedar en direcciones opuestas, uno a cada lado.

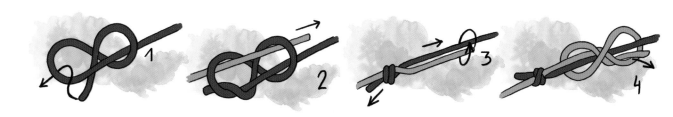

Muchos nudos de unión simples pueden adaptarse y usarse como nudos corredizos, como, por ejemplo, el nudo de sangre y el nudo en ocho.

Ejemplo de nudo de sangre corredizo.

El nudo de pescador doble es similar al anterior, aunque lleva varias vueltas, lo que lo hace mucho más consistente; además de alargar el nudo y hacerlo más estético, permitiendo que se convierta en una pieza más del diseño. Al tratarse de un nudo algo abultado, es mejor usarlo con cordones no demasiado gruesos, o puede llegar a ser algo aparatoso.

OTROS NUDOS

Algunos nudos de macramé se prestan muy bien al trabajo con abalorios, veamos algunos de los más usados:

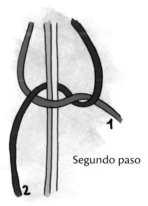

Nudo de alondra

NUDO DE ALONDRA

Es el nudo básico de macramé, con el que se suele empezar a tejer, y sirve para unir un cabo a una base fija, como puede ser una anilla. Para hacerlo, simplemente doble la cuerda por la mitad y pásela a través de la base que vaya a usar (por ejemplo, la anilla) de arriba abajo, e introduzca el resto del cordón por la arandela, ejerciendo presión. Es muy práctico para colgar adornos de un collar.

MEDIO NUDO DE MACRAMÉ

1. Empiece cogiendo el hilo de la izquierda (1) y llévelo hacia la derecha pasando por encima de los dos hilos centrales y por debajo del tercero.

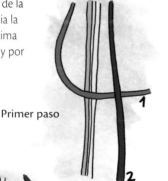

Primer paso

2. Ahora lleve el hilo de la derecha (2) hacia la izquierda, pasando por detrás de los hilos centrales y por encima del hilo (1). Tense los cabos.

Segundo paso

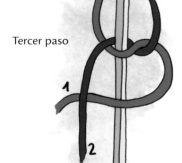

Tercer paso

3. Repita la operación de forma inversa: el hilo de la derecha (1) pasa a la izquierda por encima de los centrales y por detrás del 2.

Cuarto paso

4. Pase el hilo de la izquierda (2) por encima del 1, pasando por debajo de los centrales y saliendo por el hueco que dejó el 1 (imagen 4). Ahora ya tiene la puntada básica, que debe repetir hasta completar la pulsera. Recuerde que el orden es «encima-debajo - debajo-encima».

COMIENZA
la práctica

CON ESTA PARTE PRÁCTICA SE PRETENDE APLICAR TODOS LOS
CONOCIMIENTOS NECESARIOS PARA PODER AFRONTAR EL DISEÑO
DE BISUTERÍA CON ABALORIOS DE UNA MANERA SENCILLA.
EN CADA PROYECTO SE DAN LAS PAUTAS NECESARIAS PARA
CONSEGUIR EL EFECTO DESEADO MÁS CREATIVO
Y SORPRENDENTE.

En el recuadro denominado NECESITARÁ se enumeran detalladamente los materiales
y el equipo imprescindibles para realizar la propuesta de diseño.
A continuación, se ofrecen sencillos paso a paso complementados con unas
ilustraciones muy claras y detalladas que nos ayudarán a ejecutar cada proyecto
de la manera más adecuada.

Por último, siempre es posible introducir las variantes personales que más nos
gusten y que admita el diseño, siguiendo todos los consejos y el criterio establecido
a lo largo del libro en cuanto a la utilización de forniduras, técnicas y herramientas.

UNA DIVERTIDA PULSERA INFORMAL

La lana de enfieltrar ofrece múltiples posibilidades para crear originales abalorios y piezas únicas para decorar accesorios y broches. Su sencillo proceso de elaboración hace que este tipo de proyectos sean ideales para trabajar con niños.

Necesitará

Para las bolitas de fieltro: • 25 g de lana de enfieltrar • Agua caliente • Una pastilla de jabón

Para las pulseras: • Cinta métrica • Cinta negra de raso de 6 mm • Cinta adhesiva • Pegamento multiusos transparente

Otro equipo: • Palillos redondos • 12 cuentas cuadradas

PREPARACIÓN DE LOS ABALORIOS DE FIELTRO

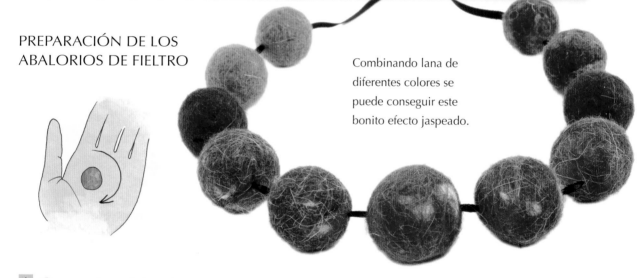

Combinando lana de diferentes colores se puede conseguir este bonito efecto jaspeado.

1 Con un pellizco de lana de enfieltrar cree una bolita con los dedos. Moldéela poco a poco hasta conseguir el tamaño deseado y mantenga un criterio uniforme para todas las cuentas de este divertido complemento.

2 Prepare un poco de agua caliente, y tenga a mano la pastilla de jabón. Con la ayuda del pincel, unte bien la bolita en agua caliente con jabón, y siga moldeándola hasta que tenga la forma deseada, ejerciendo algo de presión.

3 Amase la bola añadiendo agua con jabón siempre que sea necesario. Repita la operación hasta conseguir unas siete bolitas. Hay que dejar un tiempo prudencial para que las bolitas se sequen y no se deformen.

No es necesario que las bolas tengan un tamaño uniforme. Se trata de un abalorio único, que puede personalizar tanto como se quiera.

PREPARACIÓN DE LA PULSERA

1 Mida el ancho de su muñeca con la cinta negra, calculando 30 cm más antes de cortar. De esta forma, podremos cerrar nuestra pulsera con una lazada. Forre un extremo del lazo con cinta adhesiva, tal y como muestra la imagen, lo que facilitará el enfilado de nuestras bolitas de fieltro.

15 cm   15 cm

3 Divida entre ocho el ancho de la muñeca. Suponiendo que la medida es 16 cm, el resultado será 2 cm, y esta es la distancia a la que tenemos que colocar las bolas de fieltro. Utilice la cinta métrica para que el espacio entre las bolas sea uniforme.

5 Para que las bolas de fieltro queden fijas en su sitio, ponga una gotita de pegamento instantáneo en la base para que queden pegadas a la tela del lazo. Si es necesario, revise con la cinta métrica que la distancia de separación entre abalorios es la correcta.

2 Con la ayuda de la cinta métrica, calcule 15 cm a cada lado del lazo, que puede señalar con un poco de jabón. Reservaremos estos dos extremos para la lazada, así que vamos a distribuir los abalorios a lo largo de la zona central, que equivale al ancho de muñeca deseado.

4 Enfile los abalorios, respetando la distancia intermedia que hemos calculado. Si tiene dificultad para atravesar el fieltro, puede perforar previamente las bolas con un palillo redondo. Para obtener un resultado más atractivo, puede colocar otras cuentas entre medias.

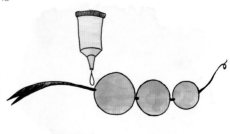

COLLARES DE ARCILLA POLIMÉRICA

∎ ∎ ∎ ◻ ◻ ◻

LA ARCILLA POLIMÉRICA ES UN MATERIAL MUY VERSÁTIL CON EL QUE PODRÁ CREAR ABALORIOS ÚNICOS. CON UN MANEJO SIMILAR AL DE LA PLASTILINA, LO ÚNICO QUE NECESITARÁ ES DEJAR VOLAR LA IMAGINACIÓN.

PREPARACIÓN DEL COLLAR MULTICOLOR

1 Amase la arcilla hasta obtener una textura similar a la plastilina, y cree unas 26-30 bolitas de no más de 1,5 cm de diámetro.

2 Aparte una bolita de cada color y amáselas con el rodillo hasta conseguir que queden completamente aplanadas. Con la ayuda de un cuchillo, corte tiras finas, pero una vez cortadas, moldéelas hasta que tengan forma cilíndrica.

No es necesario comprar arcilla de todos los colores, ya que se pueden mezclar colores básicos para obtener el tono deseado. Observe cómo marcamos el desarrollo de dos de los abalorios en el paso a paso.

3 Separe algunas tiras de cada color y úselas para adornar la mitad de las bolas. No hace falta que queden demasiado uniformes.

4 Con las tiras restantes haga bolitas para crear divertidas flores. Tras la mezcla y contraste de colores inicial con las propuestas de diseño más coloristas, haga un agujero que atraviese las cuentas y hornéelas según las instrucciones del fabricante.

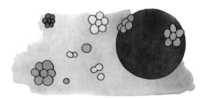

NECESITARÁ

Para el collar multicolor de cuentas: • 5-6 colores diferentes de arcilla polimérica • Rodillo • Cuchilla de bricolaje • Aguja perforadora

COLLAR DE PUNTADAS

NECESITARÁ

Para el collar de puntadas: • 2-3 colores diferentes de arcilla
polimérica • Rodillo • Cuchilla de bricolaje • Aguja perforadora •
Bastoncillos de cabeza de anilla • Un cordón

1 Arrolle un trozo grande de arcilla púrpura hasta formar un rulo, y aplánelo con el rodillo. Con la punta del cuchillo, dibuje 10 círculos en la masa y córtelos. También puede usar moldes redondos para galletas.

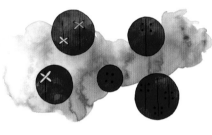

3 Con la ayuda de un palillo, dibuje líneas en las cuentas moradas. Puede usar el modelo de arriba o usar su propio diseño. Coloque las cruces sobre los puntos.

4 Introduzca un bastoncillo de cabeza de anilla en cada medallón de arcilla y hornee las cuentas de acuerdo con las instrucciones del fabricante. Para el cordón hemos usado algunos de los nudos básicos que conocemos.

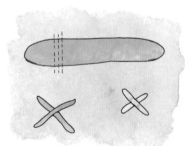

2 Haga una bolita rosa y otra amarilla. Aplánelas con el rodillo y corte tiras finas con el cuchillo, tal y como muestra la imagen. Use las tiras para hacer pequeñas cruces, pero no apriete demasiado al juntarlas para conseguir el efecto de puntadas de hilo.

La creatividad con esta técnica es ilimitada.

COLLAR OTOÑAL

■ ■ ■ □ □ □

CON ESTA SENCILLA TÉCNICA COMBINAREMOS POLÍMERO DE DISTINTOS COLORES PARA CREAR HOJAS, QUE SERÁN LA NOTA DE COLOR DE ESTE COLLAR EN EL QUE INTERCALAMOS ROCALLAS DE VARIOS TAMAÑOS, Y CUENTAS TRANSPARENTES Y METÁLICAS.

NECESITARÁ

Para las hojas:
- Arcilla polimérica de 2-3 colores diferentes • Rodillo
- Cuchilla de bricolaje
- Aguja perforadora

Cuentas y fornituras:
- Cuentas de rocalla naranja de 5 mm; 10 g transparentes y 10 g opacas
- Cuentas de rocalla amarillas, tamaño 8/0
- Cuentas de rocalla naranjas

Cuentas de rocalla naranjas:
- 6 cuentas grandes transparentes
- 2 abalorios metálicos con forma de mariposa • Aguja de enfilado • Hilo de enfilar • Una anilla y un mosquetón para el cierre

Otro equipo:
- Tijeras
- Pegamento multiusos transparente

PREPARACIÓN DE LAS HOJAS

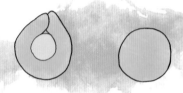

1 Envuelva una bolita de arcilla polimérica de color amarillo en naranja, y amase hasta obtener una bola más grande, evitando que los colores se mezclen. Aplane con el dedo ligeramente hasta obtener una especie de quesito.

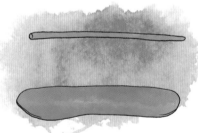

2 Arrolle un tubo fino de color verde, y aplánelo con el rodillo. Corte algunas tiras de un ancho similar al del quesito.

3 Corte el quesito por la mitad y ponga una de las tiras verdes en el centro, como en la imagen. Vuelva a unir las dos mitades.

4 Corte por las líneas indicadas en la imagen de abajo (1) e introduzca otras dos tiras verdes, de la misma manera que hicimos en el paso anterior (2). Corte el quesito por la mitad de manera transversal (3). Ponga otra tira verde entre las dos mitades, pero dé la vuelta a una para crear el efecto de las vetas de la hoja (4). Envuelva el quesito con una tira verde del mismo grosor.

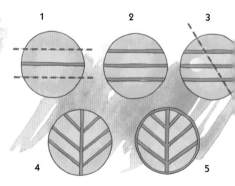

5 Amase ligeramente el quesito para integrar los colores y dele la forma alargada de una hoja. No apriete demasiado para que los colores no se mezclen. Con una cuchilla de bricolaje, corte las hojas (no muy gruesas).

6 Enfile cuatro rocallas naranjas, alternándolas con rocalla amarilla. Introduzca el mosquetón y unas 10-11 rocallas naranjas transparentes (del mismo largo que la combinación amarillo-naranja). Cruce los hilos en una cuenta grande de cristal.

En uno de los hilos, enfile la misma combinación que antes de rocallas grandes naranjas y amarillas, y en el otro, el mismo número de rocallas pequeñas naranja opaco. Cruce los hilos en una de las hojas pequeñas de polímero.

Repita la operación, intercalando rocallas opacas y transparentes, cruzando en una cuenta de cristal y hoja, respectivamente, y termine cruzando en una cuenta de mariposa.

Comenzamos con la parte central del collar. Enfile las rocallas grandes en un hilo y unas 11 rocallas naranjas opacas en el otro. Ate los dos cabos, e introduzca una por una, cuentas de cristal, y en el otro, enfile tres hojas de polímero. Haga otro nudo y enfile una vez más la combinación (transparentes en un lado, naranja y amarillo en el otro) y cruce en una hoja pequeña.

Para el detalle central cree un círculo con rocallas naranjas opacas, que servirá de anilla para la hoja principal. Introduzca el colgante por las dos filas de rocallas centrales.

Repita los pasos 1-4 a la inversa para terminar el collar.

ABALORIOS FORRADOS

CON UNOS CUANTOS RETALES PUEDE DAR UNA NUEVA VIDA A CUENTAS VIEJAS Y DESGASTADAS. LA MEZCLA DE TEJIDOS NOS PERMITIRÁ OBTENER PIEZAS ÚNICAS Y JUGAR CON EL DISEÑO DE NUESTROS COLLARES COMBINANDO DISTINTOS ESTAMPADOS.

NECESITARÁ

Anillas forradas: • Anillas de plástico de varios tamaños • Cintas decorativas variadas • Hilo de perlé o de punto de cruz • Pegamento multiusos transparente • Tijeras

Abalorios forrados: • Retales de tela de diferentes colores y estampados • Cuentas de madera • Bastoncillos de cabeza de alfiler • Embellecedores del mismo tamaño que las cuentas • Hilo para anudar • Alicates de punta redonda

Forrar abalorios con tela, cintas, o incluso hilo, es un recurso al alcance de cualquiera. Solo hay que dejar volar la imaginación, o fijarse en las distintas tendencias de color y combinación de materiales que se ven en las tiendas especializadas.

PREPARACIÓN DE ANILLAS FORRADAS

1 Pegue un extremo de cinta en una de las anillas de plástico con una gotita de pegamento multiusos. Una vez haya secado, vaya envolviendo la anilla con la cinta. De vez en cuando puede poner un poco de pegamento para afianzar el trabajo. Intente que la anilla quede bien cubierta y evite que la cinta se retuerza. Si alguna parte ha quedado irregular o mal cubierta, dé una segunda vuelta. Dé un par de puntadas para cerrar por el lado interno de la anilla.

2 Repita esta operación con cada una de las anillas y tejidos seleccionados.

3 Para forrar las anillas de hilo, corte dos hebras largas de distinto color, dóblelas por la mitad y anúdelas a la anilla dejando un cabo de unos 5 cm. Pase los hilos sin enredarlos a través del centro, de manera que se vean alternativamente dos hilos de un color y dos hilos de otro.

4 Forre la anilla cubriéndola por completo con hilo, y al terminar, anude las hebras al cabo que reservamos. Procure que el nudo quede por la cara interna de la anilla. Puede poner una gotita de pegamento transparente para reforzar.

PREPARACIÓN DE ABALORIOS FORRADOS

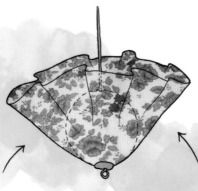

Para forrar abalorios redondos con hilo o lana, utilice unas pinzas para sujetar la pieza y con un pincel extienda una capa fina de pegamento por toda la superficie. Haciendo movimientos circulares, vaya colocando el hilo alrededor de manera uniforme.

Revés de la tela

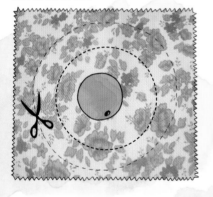

2 Introduzca un embellecedor en un bastoncillo de cabeza de alfiler y, atravesando el círculo que hemos recortado por el centro, enfile la bola de madera.

3 Con un poco de hilo, anude la tela alrededor de la cuenta. Para darle un toque desenfadado, puede deshilachar un poco los bordes, pero con cuidado de no deshilachar la tela demasiado o se soltará. Dejando aproximadamente 1 cm, corte el bastoncillo sobrante, y con los alicantes de punta redonda cree una anilla para poder engarzar la pieza.

I En un retal de tela, dibuje un círculo de un diámetro mayor al de la bola que queremos forrar; recorte. La parte externa debe estar tersa y sin ninguna marca ni de pegamento ni de puntadas para que el resultado sea el deseado.

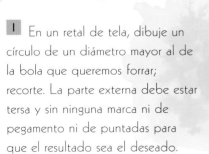

4 Se debe repetir esta operación con cada uno de los abalorios y tejidos seleccionados.

COLLAR DE ROCALLA

■ ■ ■ ■ ■

LAS ROCALLAS SON PERFECTAS PARA EMBELLECER ABALORIOS SENCILLOS. EN ESTE
PROYECTO, LAS USAREMOS PARA FORRAR UNAS SIMPLES CUENTAS DE MADERA,
LOGRANDO UN TOQUE DE ORIGINALIDAD PARA LOS COLLARES MULTIHEBRAS
AL MEZCLAR DIFERENTES VOLÚMENES.

1 Introduzca una hebra de hilo de
enfilar por una de las cuentas de
madera dejando un cabo de unos
7 cm, que facilitará el trabajo y servirá
para rematar una vez finalizado.

Enfile rocallas, de manera que
lleguen de un extremo a otro de la
bola y vuelva a pasar el hilo por el
agujero.

2 Continúe añadiendo filas de rocallas, hasta cubrir por
completo la bola. Tenga en cuenta que algunas filas
necesitarán menos rocallas a medida que la esfera se va
cubriendo.

3 Cuando la madera quede
totalmente oculta por las
rocallas, remate el trabajo
anudando el hilo con el cabo
que reservamos al principio.
Para reforzar el cierre, puede
poner una gotita de
pegamento transparente sobre
el nudo, pero con cuidado de
no obstruir el agujero.

4 Siguiendo la misma técnica del
collar multihebras, enfila unos 12-15
hilos de rocalla marrón y anúdalos
entre sí. Corta
una sección de hilo
de unos 30 cm, enhebra
una aguja y pasa el hilo a
través del nudo. Inserta por los dos
extremos el tapanudos y una de las
cuentas doradas. Haz un nudo y
fíjalo con una gotita de pegamento.

Cuando el pegamento seque,
inserta la primera bola forrada grande.

5 Se enfilan las bolas forradas y las doradas en la secuencia que muestra la imagen.
Una vez haya insertado todas las bolas, enfile ocho cuentas pequeñas, alternando
doradas y plateadas. Coloque una chafa e inserte una última cuenta pequeña. Pase el
hilo a través del cierre, cruce cables en la bola y fije la chafa con los alicates.

NECESITARÁ
Cuentas y fornituras:
• 5 g de rocallas marrones
de 6 mm • 2 tapanudos
• 6 cuentas de madera
medianas • 6 cuentas de
madera grandes • Aguja de
enfilado • Hilo de enfilar
encerado • Un cierre montado
• 7 cuentas doradas pequeñas
• 7 cuentas plateadas
pequeñas • Una chafa
Otro equipo: • Tijeras
• Alicates planos • Pegamento
transparente

Una técnica tan simple como el
forrado de cuentas con rocallas
admite un juego de pendientes como
complemento.

COLLAR ÉTNICO CON MEDALLÓN

■ ■ ■ ■ ■ ■

CON LOS ADORNOS ADECUADOS PUEDE APORTAR UN TOQUE ÉTNICO A CASI
CUALQUIER COLLAR. NO TENGA MIEDO DE EXPERIMENTAR CON DIFERENTES MATERIALES Y
TAMAÑOS. MADERA, PIEDRA, METAL, CONCHAS...

NECESITARÁ
Para el collar negro: • Rocallas negras pequeñas • Rocallas negras tamaño medio/grande • Rocallas rojas
tamaño medio/grande • 4 cuentas metálicas con forma de hoja • 6 chafas • 2 cuentas decorativas metálicas
• Medallón metálico con adornos turquesa • Cierre
Otros materiales: • Hilo de enfilar de nailon • Tijeras • Aguja de enfilar • Alicates de punta plana

1 Corte dos secciones de hilo de
nailon de 150 cm cada una. Enfile la
anilla del cierre y dóblelas por la mitad,
tal y como muestra la imagen. Con la
ayuda de los alicates ajuste los hilos a
la anilla con una chafa.

3 Enfile los dos adornos metálicos
cruzando los tres hilos, y complete
la otra mitad insertando rocallas
negras pequeñas en cada
uno de los tres hilos. Una
las cuatro secciones que
tenemos con rocallas al otro
lado del cierre.

5 Corte una sección de hilo de
nailon de 20 cm, dóblela por la
mitad y enlace con el medallón
mediante un nudo. Inserte rocallas
rojas y negras, y termine cada sección
con una de las hojas metálicas,
colocando una chafa con los alicates
para fijar el adorno final.

2 Enfile uno de los hilos alternando
las rocallas grandes negras y rojas. En
los tres hilos restantes, enfile, solamente
en secuencias variables, rocallas negras
pequeñas solo hasta la mitad.

4 En un fragmento de unos 5 cm
de hilo de nailon enfile rocallas
grandes rojas y negras y el medallón
grande, y anúdelo creando una anilla
que insertará entre los dos adornos
que colocamos en el paso anterior.

6 Repita el paso anterior hasta
tener cuatro «flecos», dos con rocallas
grandes rojas y negras, y dos con
rocallas negras pequeñas; todos ellos
rematados con una hoja metálica.

COLLAR ÉTNICO MARRÓN

LA MEZCLA DE MATERIALES COMO LA MADERA Y LOS ELEMENTOS MARINOS, JUNTO CON LAS DIFERENTES TONALIDADES DE LA ROCALLA, LE APORTAN A ESTE COLLAR UN AIRE ÉTNICO MUY ORIGINAL.

PREPARACIÓN DEL COLLAR

I Corte nueve secciones de hilo de nailon de diferentes tamaños (nunca mayores de 10 cm), y enfile rocallas marrones opacas y un adorno en cada sección. Haga un nudo y ponga una gotita de pegamento hasta tener los nueve adornos del collar insertados en una anilla de rocallas.

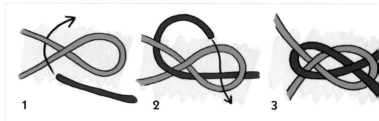

1   2   3

2 Corte seis fragmentos de hilo de nailon de unos 50-55 cm (dependiendo de lo largo que se quiera el collar) y únalos a uno de los lados del cierre. Enfile en tres de los hilos rocallas marrones opacas y en los otros tres, las rocallas transparentes color ámbar. Una el otro extremo del collar a la otra parte del cierre.

3 Inserte los adornos a través de las filas forradas de rocallas. Puede combinar objetos decorativos de tonos blancos o dentro de la gama de colores tierra.

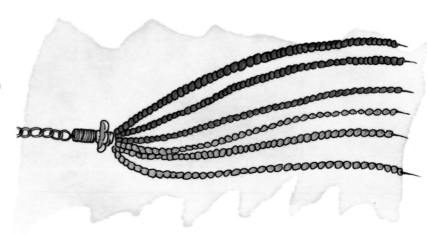

Todo vale a la hora de aportar un toque único y personal a nuestras creaciones.

NECESITARÁ

Cuentas y fornituras: • Rocallas marrones opacas
• Rocallas transparentes color ámbar • 4 cuentas pequeñas de
madera con forma de moneda • 3 cuentas grandes de madera
• 2 conchas marinas • Cierre

Otro equipo: • Hilo de enfilar de nailon • Tijeras
• Aguja de enfilar • Alicates de punta plana

DISEÑO CON
técnicas de enfilado

COLLAR CON EFECTO FLOTANTE

■ ■ ■ ■ ■ ■

CON UN HILO DE NAILON ESPECIAL CONOCIDO COMO «ILLUSION CORD» PODEMOS CREAR COLLARES EN LOS QUE LAS PIEZAS PARECEN ESTAR SUSPENDIDAS. ESTE MATERIAL ES PERFECTO PARA ABALORIOS TANTO TRANSPARENTES COMO OPACOS, Y SU RESISTENCIA EXTRAORDINARIA LO HACE APTO PARA TRABAJAR CON JOYAS O PIEDRAS.

NECESITARÁ

Cuentas y fornituras: • 30 g de cuentas perladas de unos 3 mm • 30 g de cuentas perladas de 8 mm • Cierres montados • «Illusion Cord» o hilo de nailon cristalino

Otro equipo: • Tijeras • Pegamento multiusos transparente • Alicates de punta fina • Una bandeja clasificadora de abalorios o cinta métrica.

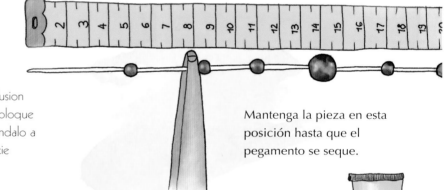

1 Corte unos 60 cm de «Illusion Cord», dejando 1 cm extra. Coloque el cable en la bandeja, o extiéndalo a lo largo de 1 m en una superficie plana.

2 Enfile las cuentas del centro y los extremos, y colóquelos en su lugar, dejando unos 5 cm a cada lado y usando la cinta métrica para asegurarse de que la pieza central está bien colocada. Marque el lugar de cada pieza con los alicates y extraiga las tres cuentas que acabamos de enfilar.

3 Enfile por orden las cuentas que desee alternándolas como prefiera. En este caso, hemos combinado dos tamaños distintos de perlas. Pegue en su lugar la primera cuenta en el punto que hemos marcado.

4 Usando la bandeja o la cinta métrica, coloque la pieza central y la del otro extremo en su lugar, y distribuya las piezas intermedias en el espacio de forma equidistante. Marque con los alicates el lugar de cada una de las perlas.

Extraiga las cuentas y sujete el cable con los alicates a la altura de la primera marca. Enfile la perla correspondiente y, sujetándola en posición vertical, como muestra la imagen, ponga una gotita de pegamento en el agujero.

Mantenga la pieza en esta posición hasta que el pegamento se seque.

5 Repita la operación con el resto de las perlas siguiendo la combinación deseada, y pegando cada pieza en el punto marcado que le corresponda.

Para realizar este collar, hemos
unido varias filas de perlas con
un cierre montado, y las hemos
retorcido dejando algunos cabos
sueltos a ambos lados.

7 Para crear el efecto de «cuentas
flotantes», podemos usar tanto chafas
como pegamento para sujetar cada
abalorio en su lugar.

6 Cuando haya pegado todas las cuentas y el pegamento esté seco,
una los extremos del cable a un cierre tipo chafa con ayuda de unos alicates.
Puede unir tantos cables como quiera para crear diferentes estilos.

UN RELOJ CON TENDENCIA

■ ■ ■ ■ ■ ■

El hilo de acero ofrece una gran resistencia, lo que nos permitirá enfilar abalorios de mayor tamaño y peso sin riesgo de que se rompa. Usaremos un enfilado sencillo para preparar esta original correa de reloj que sin duda llamará la atención.

Necesitarás

Cuentas y fornituras:
- 8 tupis de cristal de Swarovski de 6 mm ● 4 tupis de cristal de Swarovski de 4 mm
- 4 óvalos de cristal ● 6 embellecedores metálicos/troncos tallados ● 4 chafas ● Cierre en T

Otros materiales:
- Esfera de reloj especial bisutería ● 20 cm de hilo de acero flexible (dependiendo del grosor de la muñeca) ● Alicates cortacables ● Alicates de punta fina

PREPARACIÓN DE LA CORREA DEL RELOJ

1 Pase el hilo de acero a través de la anilla del cierre en T y, con los alicates, asegure el cable con una chafa, tal y como muestra la imagen.

2 Secuencia de enfilado: tupi de 6 mm, óvalo de cristal, tupi de 4 mm, tronco tallado, tupi de 6 mm, tronco tallado, tupi de 4 mm, un segundo óvalo de cristal, tupi de 6 mm, tronco y por último, otro tupi de 6 mm. Deje aproximadamente 1 cm a partir del último tupi y corte el cable.

3 Páselo a través de uno de los extremos de la esfera del reloj y asegure con una chafa, tal y como hicimos en el paso 1. Repita los pasos 1 y 2 para el otro extremo de la correa.

Esta técnica es tan rápida y sencilla que se pueden crear tantas correas diferentes como se quiera, a juego con sus conjuntos preferidos.

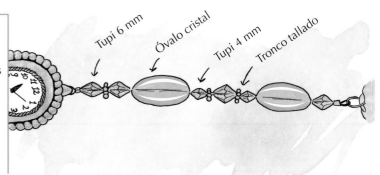

Tupi 6 mm ・ Óvalo cristal ・ Tupi 4 mm ・ Tronco tallado

PENDIENTES A JUEGO CON EL RELOJ

NECESITARÁ
Cuentas y fornituras:
• 2 óvalos de cristal • 2 tupis de cristal de Swarovski de 6 mm • 2 bastoncillos con cabeza de alfiler • 2 bastoncillos con cabeza de anilla • 2 ganchos para pendientes • Alicates de punta redonda

1 Enfile un óvalo de cristal en uno de los bastoncillos con cabeza de alfiler. Deje aproximadamente 1 cm, y corte el cable restante, como muestra la imagen 1. Doble con los alicates de punta redonda hasta formar un ángulo de 90°. Procure que quede justo al borde de la pieza para que esta no quede suelta.

2 Tome el extremo del cable con los alicates y gírelos sobre sí mismos hasta crear una anilla como la de la imagen 3. Antes de cerrar por completo el círculo, introduzca un bastoncillo de punta de anilla.

MÁS DATOS
Con un reloj de estilo romántico como base podemos darle un aire «vintage» engarzando mediante anillas metálicas cuentas de la gama de color utilizadas en el proyecto anterior. De cada anilla grande colgarán tres o más si son pequeñitas. Este tipo de correas actualizan un reloj y lo personalizan y se pueden crear diferentes modelos para combinar con la ropa.

Tupi

3 Repita el paso 2 con los tupis. Luego engarce los ganchos en un extremo de cada uno de los tupis. En el otro extremo, engarce el enganche del óvalo del crital.

CONJUNTO TURQUESA Y CORAL

■ ■ ■ ■ ■

LAS PIEDRAS SEMIPRECIOSAS HAN SIDO UTILIZADAS COMO ABALORIOS DESDE LA ANTIGÜEDAD. LA TURQUESA, LLAMADA ASÍ PORQUE COMENZÓ A COMERCIALIZARSE POR PRIMERA VEZ EN TURQUÍA, ES UNA DE LAS PIEDRAS MÁS ANTIGUAS UTILIZADAS PARA ESTE FIN, Y COMBINA A LA PERFECCIÓN CON OTROS MATERIALES COMO LA PLATA O EL CORAL.

NECESITARÁ

Para el collar:

- Unas 100 cuentas de turquesa natural, tamaño 8 mm
- 12 cuentas de «ojo de tigre», tamaño 8 mm
- 12 cuentas de coral rojo
- 12 cuentas de plata
- Un medallón de plata
- 2 bastoncillos con cabeza de alfiler • 2 tapanudos cónicos • Un cierre de collar
- Aguja de enfilar • Hilo de enfilar

Otro equipo:
- Tijeras
- Pegamento multiusos transparente • Alicates de punta redonda

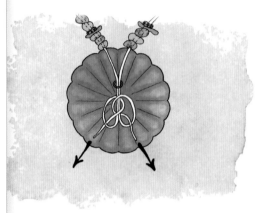

1 Corte dos secciones de unos 30 cm de hilo de enfilar, y únalos al medallón con un nudo, como el que muestra la imagen anterior. Puede añadir una gotita de pegamento transparente para asegurar. Enfile seis cuentas de turquesa y a continuación, combine cuentas de coral, ojo de tigre y plata.

2 Repita la operación hasta terminar la sección, dejando unos 3 cm al final para el cierre. Pase el hilo a través de la anilla de uno de los bastoncillos, vuelva a pasarlo por la última turquesa y haga un nudo como el de la imagen, procurando que no queden espacios entre las cuentas.

3 Añada una gotita de pegamento para afianzar el trabajo. Introduzca uno de los tapanudos cónicos por el bastoncillo, y corte dejando 1 cm. Con la ayuda de los alicates, cree una anilla y antes de cerrarla por completo, introduzca una de las partes del cierre. Repita los pasos 2-3 en el segundo hilo.

También puede introducir
cuentas de ojo de tigre o plata
en los pendientes.

NECESITARÁ
Para los pendientes:
- 2 secciones de cadena de unos 3 cm • 2 abalorios de coral rojo de unos 12 mm • 12 cuentas turquesa natural • 6 cuentas de coral rojo
- 2 bastoncillos con cabeza de alfiler • 18 bastoncillos de cabeza de anilla • Rocallas de colores • 2 ganchos para pendientes tipo garfio
- 2 anillas partidas

PENDIENTES A JUEGO

1 En un bastoncillo de cabeza de alfiler, enfile una rocalla, una de las cuentas de coral grandes y otra rocalla del mismo color que la primera. Corte dejando 1 cm, y haga una anilla con los alicates, uniendo la pieza a uno de los fragmentos de cadena.

3 Siguiendo las instrucciones del paso 1, prepare cada cuenta en un bastoncillo de cabeza de alfiler, combinándolos con otras rocallas. No cierre las anillas del todo.

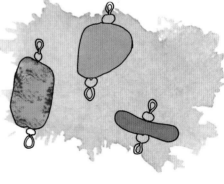

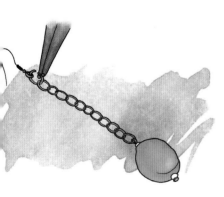

4 Dejando un par de eslabones libres en la parte superior, vaya añadiendo las cuentas a la cadena, uniendo las anillas de los bastoncillos a distintos eslabones y cerrándolos bien con ayuda de los alicates. Intente combinar los colores creando contrastes, siguiendo el modelo del collar.

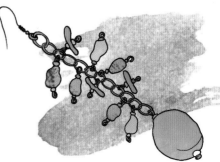

2 Abra una anilla con los alicates, y una la cadena con el garfio del pendiente, tal y como muestra la imagen de arriba.

CONJUNTO AZABACHE

■ ■ ■ ■ ■

NO HACE FALTA EMPLEAR TÉCNICAS MUY COMPLEJAS PARA CREAR INTERESANTES PROYECTOS EN ROCALLA. COMBINANDO DISTINTOS TAMAÑOS Y FORMAS, LOGRAREMOS DISEÑOS IGUALMENTE IMPACTANTES, COMO ESTE CONJUNTO, EN EL QUE EMPLEAREMOS DIFERENTES TIPOS DE ROCALLA DE UN MISMO COLOR.

NECESITARÁ

Cuentas y fornituras: • Unos 30 g de rocalla en negro o plomo irisado de 5 mm • 30 g de rocalla tubo del mismo color • 5 g de rocalla de 8 mm • 5 g de rocalla de 11 mm • 18 separadores pequeños del mismo color • 5 separadores grandes • Hilo de nailon • Cierre de collar montado • Alicates planos de punta fina.

Otro equipo: • Tijeras • Pegamento multiusos transparente

PREPARACIÓN DEL COLLAR

1 Corte cuatro secciones de hilo de nailon de unos 43-48 cm; únalos, y fíjelos al cierre con los alicates.

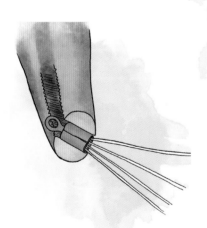

2 Uniendo los cuatro cabos, inserte una rocalla de 11 mm, tal y como muestra la imagen. Separe los cables en dos grupos. En uno de ellos enfile 3 rocallas de 11 mm, y en el otro, 2, seguidas del primer separador pequeño.

3 Enfile una rocalla de 8 mm en cada hilo. A continuación vaya añadiendo las rocallas pequeñas de la forma que muestra la imagen (rocallas tubo en los extremos y rocallas simples en los dos hilos del centro).

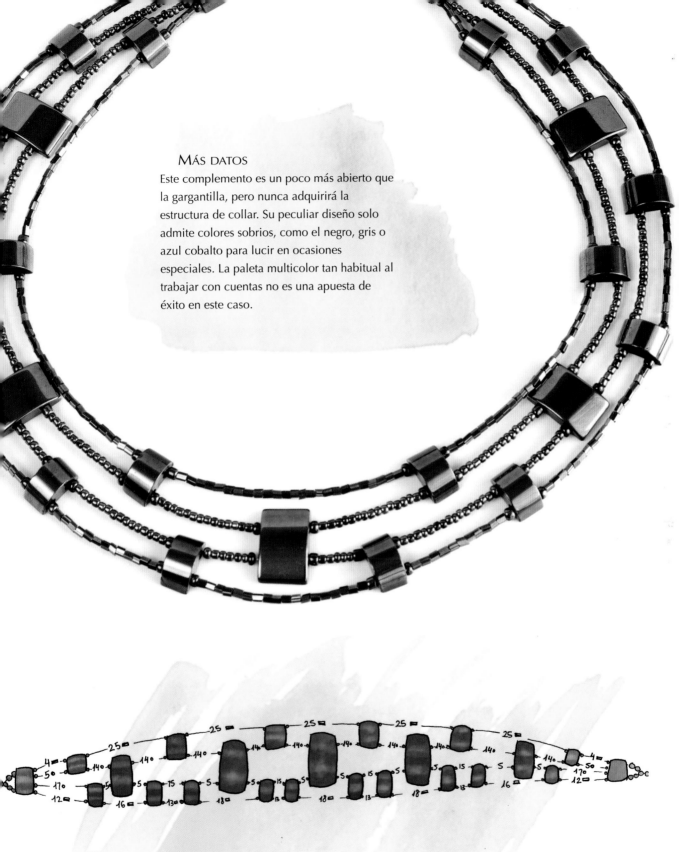

Este complemento es un poco más abierto que la gargantilla, pero nunca adquirirá la estructura de collar. Su peculiar diseño solo admite colores sobrios, como el negro, gris o azul cobalto para lucir en ocasiones especiales. La paleta multicolor tan habitual al trabajar con cuentas no es una apuesta de éxito en este caso.

4 Siguiendo las indicaciones del diagrama anterior, añada el número de rocallas señalado, y vaya alternando los separadores grandes y pequeños, como muestra la imagen. Para terminar, enfile un separador pequeño y la misma combinación de rocallas del paso 2. Una los cabos al cierre, cortando el hilo restante.

Para la pulsera: • 15 g de rocalla redonda de 5 mm • 15 g de rocalla tipo tubo de 5 mm • 5 g de rocalla de 11 mm • Hilo de nailon • 2 anillas partidas • 2 chafas pequeñas • Cierre de collar • Alicates planos de punta fina.

Para los pendientes: • 6 tupis del mismo color que las rocallas • 2 bastoncillos de cabeza de alfiler • 2 cierres de pendiente tipo garfio • Alicates de punta redonda

PREPARACIÓN DE PULSERA Y PENDIENTES

1 Una cuatro hilos de nailon de la longitud deseada con los alicates, usando un cierre tipo chafa. Enfile una rocalla de 11 mm, y en cada uno de los cabos, unas seis rocallas pequeñas. En dos hilos, use rocallas redondas y en los otros, dos rocallas tipo tubo.

2 Separe uno de los hilos con rocallas redondas y otro con rocallas tubo, y cruce los hilos en una rocalla de 11 mm. Haga lo mismo con los otros dos hilos. Repita la misma operación hasta obtener la longitud deseada, y coloque el cierre con los alicates, cortando el hilo sobrante.

3 Enfile tres tupis en un bastoncillo de cabeza de alfiler. Dejando aproximadamente 1 cm, corte el restante y cree una anilla con los alicates de punta redonda.

El cierre de garfio es perfecto para los pendientes más largos, como en este diseño, porque así las cuentas caen desde la base de la oreja.

4 Una los tres tupis al cierre de pendiente de garfio ayudándose con los alicates y cierre bien la anilla. Si los agujeros de las cuentas son demasiado grandes para la cabeza del bastoncillo, puede usar un tope, o rocallas para que las cuentas no se pierdan.

BRAZALETE TUBULAR

■ ■ ■ ■ ■

PARA REALIZAR ESTE ELEGANTE BRAZALETE HEMOS USADO UNA VARIACIÓN DE LA PUNTADA LADRILLO QUE NOS PERMITE TEJER DE MANERA TUBULAR. ESTA TÉCNICA OFRECE RESULTADOS ESPECTACULARES, TANTO EN LLAMATIVOS DISEÑOS MULTICOLOR COMO SI SE UTILIZAN ROCALLAS DE UN MISMO TONO.

1 Enhebre un fragmento de hilo encerado de unos 80 cm, y enfile una rocalla gris marengo y otra gris perla. Vuelva a pasar el hilo por la primera cuenta enfilada e introduzca una nueva rocalla del tono que prefiera. Pase el hilo en círculo por la anterior rocalla, volviéndolo a pasar después por la última cuenta enfilada.

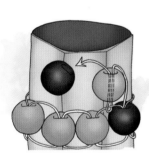

2 Repita hasta obtener el largo deseado (mida el objeto a utilizar como base para calcular el largo necesario). Para cerrar la anilla que servirá de base para el tubo, vuelva a pasar el hilo de manera circular por la primera rocalla enfilada de la misma manera que se ha hecho hasta ahora.

3 A partir de aquí, simplemente debemos seguir tejiendo normalmente, del mismo modo que en la puntada ordinaria. Enfile una nueva cuenta, y haga pasar la hebra por el hilo que une las dos últimas rocallas, para acto seguido volver a pasar la aguja por la misma rocalla (vea página 45). Tire bien del hilo para que la nueva cuenta quede bien colocada en su lugar, obteniendo la forma de «pared de ladrillos» característica de esta puntada. Siga añadiendo abalorios de la misma manera hasta terminar la fila. Para cambiar de hilera, simplemente empiece

enfilando dos rocallas a la vez, y continúe con normalidad hasta la fila siguiente.

4 Una vez terminado, remate con un poco de pegamento multiusos y monte el cierre en T con ayuda de los alicates.

NECESITARÁ

Cuentas y fornituras: • Unos 15 g de rocalla opaca color gris marengo, con acabado metalizado, tamaño 8/0 (3 mm) • Unos 15 g de rocalla opaca color gris perla, con acabado metalizado, tamaño 8/0 (3 mm) • Aguja de enfilado • Hilo de enfilar encerado • Cierre en T • Un par de chafas plateadas • Alicates planos de punta fina.

Otro equipo: • Tijeras • Pegamento multiusos transparente • Un bolígrafo (o similar) para utilizar como base

CON AIRE AFRICANO

■ ■ ■ ■ ■

El uso de separadores puede cambiar por completo el estilo de un collar, por sencillo que este sea, gracias a la infinidad de modelos existentes en el mercado. Con separadores de diseño tribal daremos un aire africano a este conjunto de gargantilla y pulsera, perfecto para las veladas estivales.

Necesitará

Cuentas y fornituras: ● 280 cuentas tubulares negras ● 280 cuentas tubulares rojas ● 112 cuentas doradas ● 4 separadores de 8 agujeros de diseño africano ● 56 cuentas pequeñas de madera ● 6 cuentas medianas de madera ● 4 cuentas grandes de madre ● Un cierre de collar metálico ● Aguja de enfilar ● Hilo de nailon

Otro equipo: ● Tijeras ● Alicates de punta plana ● Chafas

PREPARACIÓN DEL COLLAR

1 Corte ocho secciones de hilo de nailon, la más larga de 90 cm y reste 5 cm a cada una de ellas. Una todas las secciones y páselas a través de la anilla del cierre del collar, fijando los extremos de hilo con una chafa. Para asegurar el cierre, puede poner una gota de pegamento instantáneo transparente en los hilos antes de cerrar la chafa.

2 Enfile las tres cuentas medianas de madera en los ocho hilos, seguidas de dos de las cuentas grandes. Separe los hilos en dos secciones de cuatro hilos cada una.

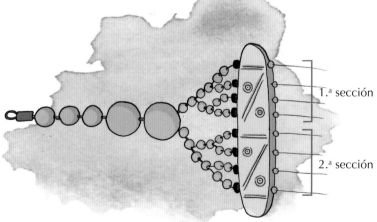

1.ª sección

2.ª sección

3 Enfile en cada mitad dos cuentas pequeñas de madera. Vuelva a separar los hilos por la mitad, de manera que queden cuatro secciones de dos hilos cada una, y vuelva a enfilar dos cuentas pequeñas de madera por cada extremo. Separe una vez más las secciones, de modo que cada hilo de nailon quede independiente, e inserte dos cuentas más del mismo tamaño, tal como muestra la imagen de arriba.

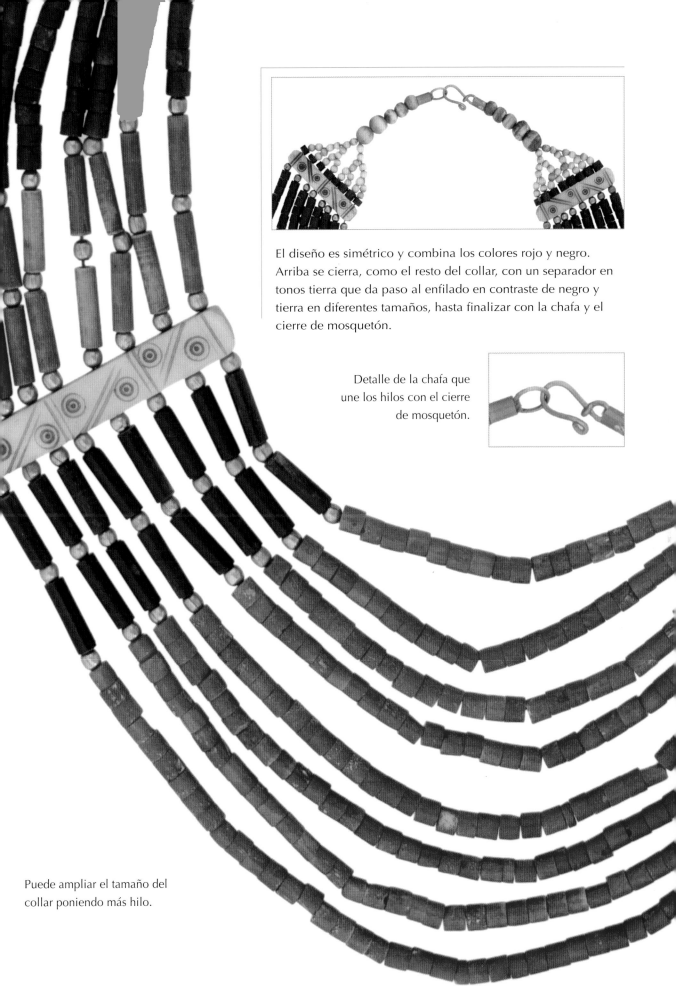

El diseño es simétrico y combina los colores rojo y negro.
Arriba se cierra, como el resto del collar, con un separador en
tonos tierra que da paso al enfilado en contraste de negro y
tierra en diferentes tamaños, hasta finalizar con la chafa y el
cierre de mosquetón.

Detalle de la chafa que
une los hilos con el cierre
de mosquetón.

Puede ampliar el tamaño del
collar poniendo más hilo.

4 Corte dos de las cuentas tubulares negras en fragmentos de unos 3 mm, y enfile un fragmento en cada hilo. Introduzca el separador con cuidado de que los hilos no queden enredados, y enfile una bolita dorada por cada cuenta para terminar el cierre.

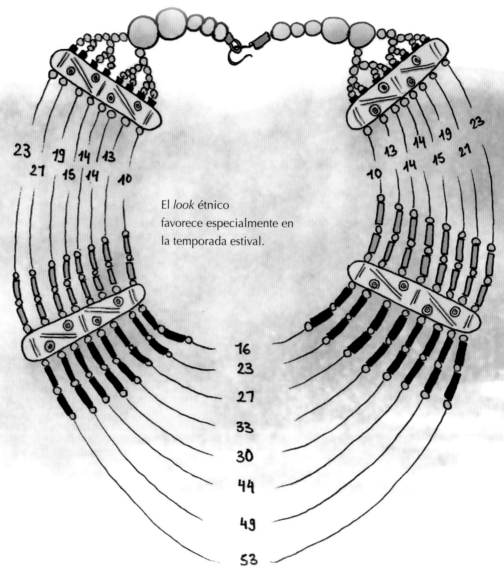

23 19 14 13
27 15 14 10

13 14 19 23
14 15 27
10

El *look* étnico favorece especialmente en la temporada estival.

16
23
27
33
30
44
49
53

5 Coloque las cuentas doradas y las cuentas rojas siguiendo el esquema indicado antes de introducir los separadores. Enfile el resto de cuentas como indica el esquema, cuidando en todo momento de que los hilos no estén enredados o descolocados antes de introducir los separadores.

6 Introduzca en cada hilo el número de cuentas cilíndricas que corresponda. Recuerde que el número de cuentas recomendado es aproximado y puede variarlo para cambiar el largo del collar.

7 Repita el mismo esquema explicado en los pasos 1-4 para terminar el cierre y use los alicates para unir los hilos al gancho del cierre con una chafa. Procure no dejar las cuentas ni muy apretadas ni demasiado sueltas, para hacerlo, puede usar unas pinzas que lo ayuden a fijar los hilos en el punto deseado.

PULSERA A JUEGO

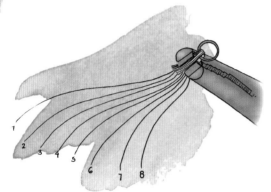

1 Corte ocho fragmentos de hilo elástico de unos 15 cm. Antes de cortar, compruebe que la medida se adapta al tamaño de su muñeca, y reduzca o amplíe el tamaño de los hilos en caso de que sea necesario (sin olvidar dejar unos centímetros extra para el cierre). Sujete los hilos con una mano e introduzca uno de los separadores.

2 Enhebre una aguja de enfilar en uno de los hilos elásticos y, siguiendo las indicaciones de la imagen, vaya introduciendo cuentas cilindricas negras de 3 mm. Continúe insertando abalorios hasta terminar la pulsera.

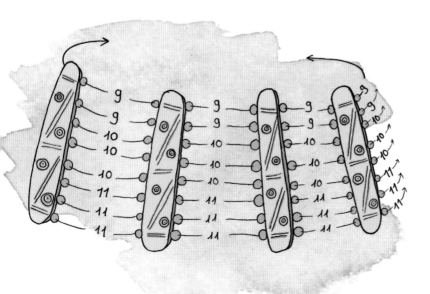

3 Ate cada uno de los hilos al hilo correspondiente del otro lado. No olvide enfilar una cuenta dorada en cada hilo antes de unirlos con los del primer separador. Ponga una gotita de pegamento transparente en cada nudo para afianzar, y corte con unas tijeras el hilo sobrante.

COLLAR MULTIHEBRAS

■ ■ ■ ■ ■

EL ENFILADO SIMPLE NO TIENE POR QUÉ SER ABURRIDO. PODEMOS CONSEGUIR RESULTADOS ESPECTACULARES SI UNIMOS VARIOS HILOS PARA CREAR PULSERAS Y COLLARES, MULTIPLICANDO ASÍ LAS POSIBILIDADES EN CUANTO A COLORES Y DISEÑOS.

NECESITARÁ

Para el collar rosa y verde: • Unos 10-15 g de rocalla de colores (verde botella, verde manzana, rosa pálido, rosa fuerte y blanco) de 3 mm • Dos tapanudos plateados • Un bastoncillo de cabeza de anilla • Un bastoncillo de cabeza de alfiler • Mosquetón y anillas para el cierre • Una cuenta grande de adorno

PREPARACIÓN DEL COLLAR MULTIHEBRAS

1 Corte 20 secciones de hilo de 60 cm cada una y únalas con un nudo. Enhebre la aguja en uno de los hilos y vaya enfilando rocallas del mismo color hasta cubrir el hilo, reservando aproximadamente 1,5-2 cm al final. Use un tope para cuentas a fin de sujetar el hilo cuando termine, evitando que las cuentas se escapen.

2 Repita el paso 1 con el resto de los hilos, hasta conseguir cuatro secciones de cada color de rocalla. No se olvide de dejar 1,5-2 cm libres al final de cada hilo, y de sujetar bien cada hilo con el tope para no perder ninguna rocalla. Introduzca un bastoncillo de cabeza de alfiler a través del nudo que hicimos al principio e insértelo por uno de los tapanudos.

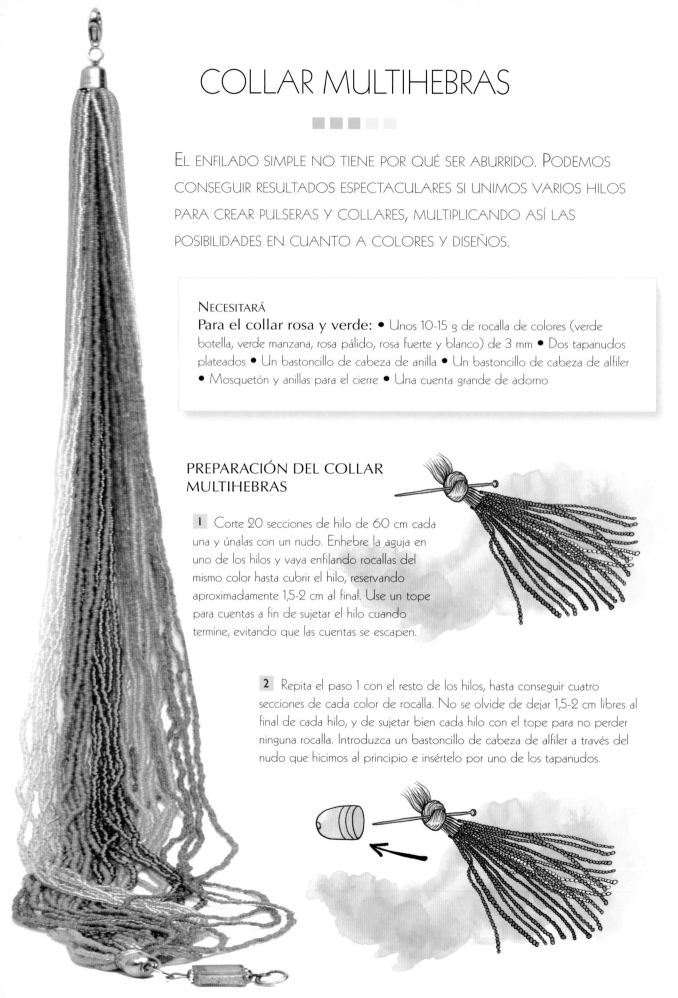

NECESITARÁ

Para el collar multicolor: • 15 g de rocalla multicolor de 3 mm
• 2 tapanudos plateados
• 12 cuentas pequeñas de madera (de unos 8 mm) • Mosquetón y anilla para el cierre
Otros materiales: • Hilo de enfilar • Aguja de enfilar • Tijeras • Alicates de punta redonda

PREPARACIÓN DEL COLLAR MULTICOLOR

1 Corte 10 secciones de hilo de 1 m de largo. Enfile el mosquetón del cierre por los 10 hilos, y dóblelos por la mitad, para que el mosquetón quede en el centro. Enfile seis cuentas de madera por los hilos para sujetar bien el mosquetón. Tras insertar la primera cuenta, ponga una gotita de pegamento en su interior. Inserte uno de los tapanudos con la parte abierta hacia fuera; así tendremos el mosquetón, las cuentas de madera, el tapanudos, y 20 hilos sueltos.

3 Separe los hilos del tope y páselos por el tapanudos. Enfile las seis cuentas de madera restantes y la anilla del cierre, volviendo a pasar los hilos por la última cuenta de madera.

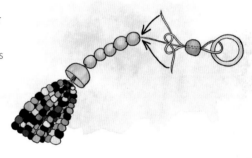

4 Separe los hilos en dos secciones de 10 hilos y haga un nudo tensando para que la anilla del cierre quede bien unida a las bolas de madera. Ponga una gotita de pegamento en el nudo para asegurar el cierre y oculte los hilos restantes insertándolos en la siguiente bola. Corte los restos.

3 Con ayuda de unos alicates de punta redonda, una el bastoncillo a la anilla de la cuenta de adorno, y haga lo mismo al otro lado de la cuenta para unirla a la anilla del cierre. Retire el tope para cuentas, y anude los hilos del otro extremo del collar, procurando que las rocallas no queden demasiado apretadas, ni muy sueltas.

En el mercado hay topes especializados para trabajar con cuentas y abalorios, pero también puede crear sus propios topes con el muelle de una pinza de tender la ropa.

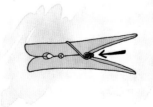

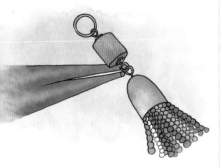

4 Corte los hilos que sobren y repita el paso 3 para unir el otro tapanudos al mosquetón del cierre. Puede usar un poco de pegamento dentro del tapanudos para asegurarse de que los bastoncillos quedan bien sujetos.

2 Enfile rocallas de colores en los hilos, reservando unos 5 cm al final de cada hilo. Utilice el tope para sujetar las secciones terminadas. Continúe hasta que los 20 hilos estén completamente forrados de rocalla.

CONJUNTO GRANATE Y ORO

■ ■ ■ ■ ■ ■

La técnica de los collares multihebras incluye infinitas variaciones, como este collar de facetadas en cristal checo, cuyo principal encanto es el broche dorado con adornos a juego con las cuentas. También se puede elegir un broche que contraste con el color de base del collar.

Necesitará

Cuentas y fornituras: • Unas 900 facetadas de cristal checo de 4 mm en color granate • 20 anillas doradas partidas • Broche decorativo dorado y granate con 20 perforaciones • Aguja de enfilar • Hilo de enfilar rojo

Otro equipo: • Tijeras • 20-25 cm de «French wire» (cable protector de hilo) • Tijeras • Alicates de punta fina

---

PREPARACIÓN DEL COLLAR

1 Tome unos 40-45 cm de hilo de enfilado rojo en una aguja e introduzca una facetada de cristal. Corte 1,5 cm de «French wire» y enfílelo detrás de la facetada.

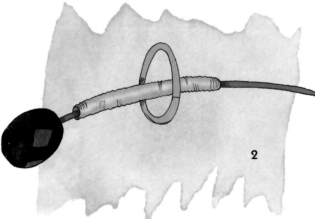

2 Inserte una anilla dorada y colóquela sobre la sección de protector de hilo o «French wire». El «French wire» es un tipo de cable especial, usado para proteger y reforzar el hilo de los collares. Se usa sobre todo para incluir adornos más pesados en los collares, como es el caso de este broche dorado, nos evita que el hilo se rompa o se desgaste por el uso.

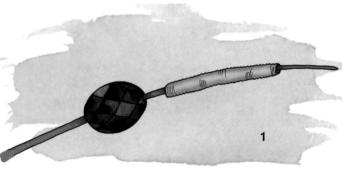

3 Vuelva a introducir el hilo por la facetada, tal y como muestra la imagen.

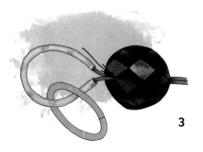

Los broches decorativos aportan una solución elegante al problema del cierre. A menudo los collares antiguos tienen cierres muy bonitos que puede reutilizar dándoles una segunda vida.

4 Ayúdese con la aguja para hacer un nudo como el de la ilustración anterior, procurando que no quede una hebra demasiado larga. Ponga una gotita de pegamento transparente sobre el nudo e inserte la hebra restante en la facetada.

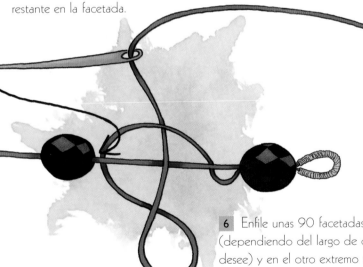

7 Vaya uniendo las secciones a las perforaciones del broche con ayuda de unos alicates de punta fina redondeada. Procure que los hilos no se retuerzan y vayan unidos correctamente a la misma perforación de cada lado.

6 Enfile unas 90 facetadas (dependiendo del largo de collar que desee) y en el otro extremo vuelva a separar con nudos las tres primeras cuentas, y repita los pasos 1-4 para colocar la anilla y el «French wire». Repita los pasos anteriores hasta tener 10 secciones de facetadas con anillas a ambos lados.

5 Inserte una segunda facetada y haga un nudo con el hilo ayudándose con la aguja para que las dos cuentas queden bien unidas. Repita la operación con una tercera facetada.

COLLAR VERDE CON BROCHE DE FIELTRO

■ ■ ■ ■ ■ ■

EL PRINCIPAL ENCANTO DE ESTE PRECIOSO COLLAR ES SU ORIGINAL CIERRE REALIZADO EN FIELTRO, QUE APORTA UN TOQUE DIVERTIDO GRACIAS AL DETALLE DEL BOTÓN. USAREMOS ROCALLAS EN DIFERENTES TONOS DE VERDE, Y MEZCLAREMOS ROCALLAS OPACAS Y TRANSPARENTES PARA CONSEGUIR UN BONITO CONTRASTE EN EL TRENZADO.

PREPARACIÓN DEL COLLAR

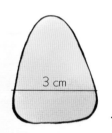

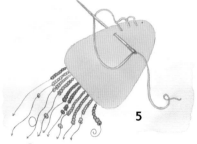

3 Corte 10 hebras de nailon de unos 60 cm. Una por una, vaya insertándolas en la parte inferior de la cuarta pieza de fieltro, dejando una separación entre ellas de unos 2-3 mm. Tras insertar cada una de las hebras, haga un nudo doble y ponga una gotita de pegamento sobre cada nudo. Coloque encima la pieza de fieltro del botón y presione ligeramente haciendo coincidir las dos piezas. Déjelo secar.

combinación será: una verde oliva, dos verde limón, una verde menta y una verde botella, repitiendo la serie a la inversa al terminar.

1 Coloque la plantilla superior en un folio, recórtela, y dibújela a lápiz cuatro veces en el trozo de fieltro. Recorte. Ajuste el tamaño del dibujo de la plantilla, a unos 3 cm de largo.

5

Cuando todas las líneas estén bien anudadas, corte el hilo sobrante, y ponga una gotita de pegamento en cada nudo. Coloque encima la última pieza de fieltro, haciendo coincidir los ojales.

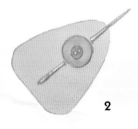

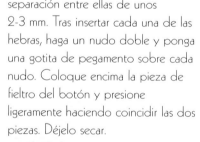

2 En una de las piezas de fieltro, mida el tamaño del botón con la ayuda de una aguja y corte el ojal con el abreojales. Coloque esta pieza sobre la segunda y dibuje con lápiz la abertura, repitiendo la operación.

Con el hilo verde, cosa el botón en la tercera pieza, a la misma distancia que el ojal. Nuestras cuatro piezas de fieltro deben quedar así: una pieza con el botón, dos con un ojal y una cuarta sin nada.

4 En el primer hilo de nailon, enfile 35-40 cm de rocallas verde oliva. Inserte el hilo en la parte inferior de una de las piezas con ojal y haga un nudo doble al final, con cuidado de que la fila de rocallas quede bien apretada. Seguiremos el mismo proceso en cada uno de los hilos. La

5 Enhebre la aguja con hilo verde y remate las piezas pegadas. Dejando el nudo oculto entre las dos piezas, atraviese el fieltro de delante hacia atrás, pasando el hilo por detrás de la aguja. Use la misma técnica para el ojal, pasando la aguja el agujero en cada puntada. Procure que queden todas a la misma distancia. Retuerza las filas de cuentas para conseguir el efecto de trenzado.

Necesitará

Cuentas y fornituras: • 20 g de cuentas de rocalla opacas de 3 mm en tonos verde menta y verde oliva • 30 g de cuentas de rocalla transparentes de 3 mm, en tonos verde limón y verde botella • Aguja de enfilar • Hilo de enfilar de nailon

Otro equipo: • Un trozo de fieltro de color beis de unos 4 x 5 cm • Tijeras • Hilo de color verde • Aguja • Un botón • Pegamento multiusos transparente • Abreojales

Se pueden utilizar otras gamas de colores para conseguir collares completamente distintos, pero igual de atractivos y más juveniles.

CORAL CON CRISTAL DE MURANO

■ ■ ■ ■ ■ ■

EL FAMOSO CRISTAL DE MURANO TOMA SU NOMBRE DE UNA PEQUEÑA ISLA VENECIANA, FAMOSA POR SU TRADICIÓN DE ELABORAR VIDRIO SOPLADO. EXISTE TODO TIPO DE ABALORIOS DE ESTE MATERIAL, QUE APORTARÁN UN TOQUE ÚNICO Y ELEGANTE A CUALQUIER PROYECTO.

NECESITARÁ

Cuentas y fornituras: • Unos 20 g de rocalla transparente color coral • Colgante de cristal de Murano con anilla a juego • Hilo de enfilar encerado • Aguja de enfilar • 2 tapanudos dorados • 2 bastoncillos con cabeza de anilla dorados • 2 anillas doradas • Mosquetón de cierre dorado

Otro equipo: • Tijeras • Pegamento multiusos transparente • Alicates de punta redonda • Tope para cuentas (opcional)

PREPARACIÓN DEL COLLAR

1 Corte seis fragmentos de 43 cm de hilo de enfilar encerado y vaya enfilando rocallas hasta cubrirlos por completo. Puede usar un tope para cuentas a fin de sujetar las secciones terminadas mientras trabaja.

3 Haga un nudo para unir las seis filas del collar. Corte las hebras de hilo que sobren. Introduzca un bastoncillo de cabeza de alfiler a través del nudo que acaba de hacer. Puede poner una gotita de pegamento para fijar el bastoncillo. Páselo a través del agujero del tapanudos.

2 Haga pasar los hilos por la anilla de cristal de murano. Anude todas las secciones con un nudo suelto,

como el que muestra la imagen anterior.

Procure que el nudo quede colocado en el centro y tenga cuidado de que las cuentas no se escapen, pues vamos a hacer el nudo sin antes cerrar las filas de rocallas.

4 Repita los pasos para crear el otro extremo del collar.

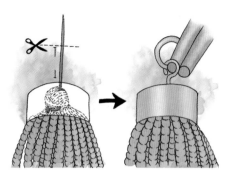

5 Corte los bastoncillos dejando aproximadamente 1,5 cm, y con los alicates, haga una anilla como la que muestra la imagen a cada lado, que unirá a las anillas del cierre. Corte tres secciones de hilo de 10 cm y cúbralas de rocalla dejando 1 cm a cada lado.

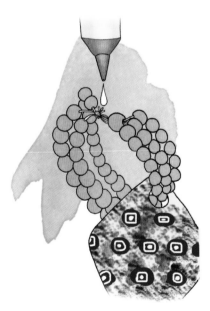

6 Pase las secciones de rocalla a través de la anilla de cristal de Murano y del colgante. Anúdelas creando una anilla. Ponga una gotita de pegamento para fijar.

Puede encontrar detalles de cristal de Murano de todos los colores y diseños. Uno de los más conocidos es el llamado *millefiori*, del que hemos usado una variación.

El de Murano es el cristal hecho a mano más famoso del mundo. Los trabajos más típicos son el «pan» hecho con plata y oro, y el conocidísimo milflores, con sus contrastados juegos de colores, que convierten cada abalorio en una pieza única.

DE INSPIRACIÓN BIZANTINA

▪ ▪ ▪ ▪ ▪

LAS POSIBILIDADES CREATIVAS DE LOS COLLARES MULTIHEBRAS SON INTERMINABLES. ENCONTRANDO LOS ADORNOS ADECUADOS, PODEMOS HACER LUCIR CUALQUIER PROYECTO, COMO ES EL CASO DE ESTE BONITO COLLAR CON ABALORIOS DE INSPIRACIÓN BIZANTINA.

NECESITARÁ

Cuentas y fornituras: • Unos 20 g de rocalla roja, tamaño 11/0 • 8 bolas grandes plateadas de aire bizantino con agujeros grandes • 8 tapanudos plateados • 20 bolas metálicas pequeñas con agujeros grandes (opcional) • Aguja de enfilar • Hilo de enfilar • Cierre de collar plateado
Otro equipo: • Tijeras • Pegamento multiusos transparente

PREPARACIÓN DEL COLLAR

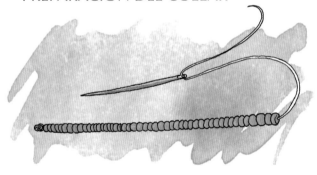

1 Tome unos 20 cm de hilo y enfile una rocalla roja. Colóquela en la mitad del hilo y dóblelo. Pase los dos extremos del hilo por una aguja de enfilar y vaya introduciendo rocallas hasta llenar la sección, reservando 1,5 cm al final.

Repita la operación hasta tener 15 secciones forradas de rocalla.

2 Haga un nudo para unir las 15 filas. Enhebre una aguja y pásela a través del nudo.

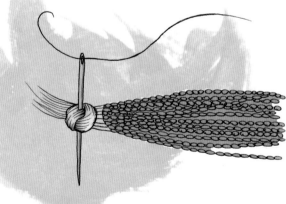

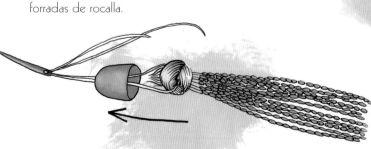

3 Haga pasar los dos extremos de la hebra por el tapanudos, uniendo así las tiras de rocalla que hemos creado.

El bronce y la plata eran muy usados en la joyería del antiguo Imperio bizantino. No dude en incluir alguna cuenta cobriza en el cierre para conseguir un efecto más auténtico.

4 Pase una aguja de enfilar enhebrada por la rocalla final de las secciones para unir el otro extremo. Siga el paso anterior para colocar otro tapanudos al otro lado.

6 Pase el hilo por el tapanudos del siguiente fragmento de rocallas y dé un par de puntadas para ocultar la hebra dentro del nudo. Ponga una gotita de pegamento transparente para fijar. Repita la operación hasta unir todos los fragmentos a las tres bolas decorativas.

7 Monte el cierre. Puede enfilar algunas cuentas plateadas a ambos lados del collar para darle un toque más elegante.

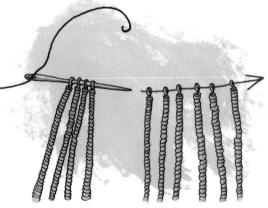

5 Repita los pasos 1-4 hasta tener cuatro fragmentos de 15 filas de rocalla cada uno, separados por tapanudos, y con una hebra doble de hilo saliendo por cada lado.

    Enhebre las dos hebras que sobresalen de uno de los fragmentos de rocalla y enfile una de las bolas grandes.

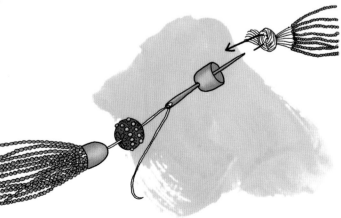

DISEÑO DE
tejidos con abalorios

CONJUNTO NARANJA

■ ■ ■ ■ ▓ ▒ ▫

PARA CREAR ESTE DIVERTIDO CONJUNTO, PONDREMOS EN USO ALGUNAS DE LAS
TÉCNICAS DE ENFILADO QUE YA CONOCEMOS, CON EL FIN DE CREAR UNA
COMBINACIÓN ÚNICA DE ROCALLAS Y OTROS MATERIALES.

NECESITARÁ

Para el anillo: • Rocalla naranja • 7 facetadas naranjas • Hilo de enfilar • Aguja de enfilar

Otro equipo: • Tijeras • Pegamento multiusos transparente

PREPARACIÓN DEL ANILLO

1 Enfile siete rocallas naranjas, cruzando los hilos en la última.

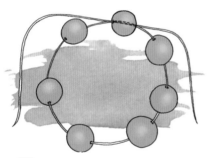

2 Para crear el primer pétalo de la flor central del anillo, enfile en uno de los hilos una facetada, otras siete rocallas naranjas, y vuelva a introducir el hilo por la facetada. Introduzca la hebra por la siguiente rocalla del aro central, tal y como muestra la imagen.

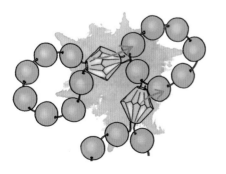

3 Repita el paso anterior con el otro extremo del hilo. Cree un pétalo a cada lado hasta que los dos hilos se encuentren. En el último pétalo pase los dos hilos por una facetada y enfile tres rocallas en cada hilo, cruzando los hilos en una cuarta rocalla.

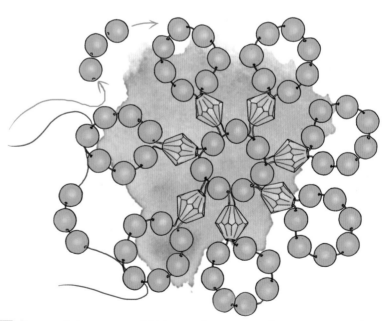

4 Por uno de los extremos del hilo, introduzca tres rocallas naranjas y pase la hebra por la rocalla central del siguiente pétalo. Haga lo mismo con el otro extremo del hilo e intercale tres rocallas entre los pétalos hasta que las dos hebras vuelvan a encontrarse, cruzándose en la rocalla central de la última serie de tres.

Este anillo también se puede crear con cristal de Swarovski o tipo checo.

5 Vamos a empezar ahora con la anilla, para la que emplearemos dos filas de puntada «peyote». Enfile una rocalla en cada hilo y cruce en una rocalla nueva. Repita hasta tener la longitud deseada.

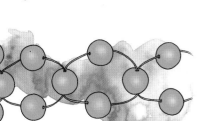

6 Una vez haya terminado la hilera principal, vaya añadiendo una rocalla entre medias de las dos rocallas que sobresalen. Haga lo mismo por el otro lado.

7 Anude los hilos por dentro de la flor para ocultar el nudo y ponga una gotita de pegamento para fijar. Con un poco de hilo sobrante, ate el otro extremo de la anilla a la parte opuestra de la flor central. Una vez más, anude (por dentro de la flor) y fije con pegamento.

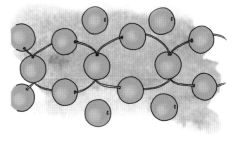

MÁS DATOS

Es recomendable usar hilo de nailon para la anilla, de manera que no se deforme demasiado con el uso. Procure que las rocallas tejidas no queden muy apretadas, y tampoco demasiado sueltas. Con un poco de práctica encontrará en seguida la tensión idónea para este tipo de trabajos.

PENDIENTES
A JUEGO

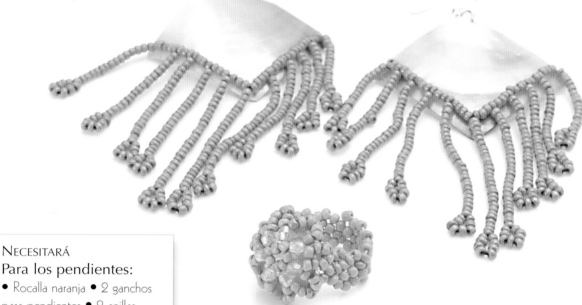

PREPARACIÓN DE LOS PENDIENTES

1 Si la pieza de concha de que dispone no está perforada, realice usted mismo las perforaciones con una broca pequeña. Si prefiere emplear madera o cualquier otro material más blando, puede usar una barrena (lo más fina posible). Tenga mucho cuidado, si usa el taladro, de no romper la pieza, y trabaje siempre sobre una superficie firme.

2 Una los dos ganchos de pendientes a la perforación superior con una anilla y unos alicates.

3 Corte una hebra de hilo de enfilar de unos 20 cm. Átelo a la primera abertura y ponga un poco de pegamento transparente en el nudo, dejándolo en la parte posterior para que no se vea.

4 Enfile 15 rocallas naranjas. Para el detalle inferior, enfile ocho rocallas y vuelva a pasar el hilo por las 15 rocallas y de nuevo por la perforación de la concha. Para el remate de cada lecho, enfile las ocho rocallas últimas y páselas de nuevo por la ultima rocalla.

Puede usar distintos materiales como base de los pendientes: desde concha, hasta madera o arcilla polimérica.

5 Lleve el hilo a la siguiente perforación y repita el paso anterior. Haga lo mismo hasta que todos los flecos estén terminados. Al llegar al final, enfile rocallas entre las aberturas, metiendo y sacando el hilo por las perforaciones. Remate con un nudo en la parte posterior de la pieza y fije con pegamento.

PULSERA DEL CONJUNTO

PREPARACIÓN DE LA PULSERA

1 Corte 15 secciones de hilo elástico de unos 15 cm. Si desea una pulsera más fina o más ancha, puede añadir o reducir tantas secciones de hilo como le guste. Nosotros hemos puesto 15 para hacer una pulsera como la que aparece en el ejemplo en color naranja.

Al usar hilo elástico para la pulsera, no es necesario colocar un cierre tradicional, pues los separadores le dan consistencia.

2 Sujete los hilos con una mano e introduzca uno de los separadores. El diseño de los separadores influye en el estilo de la pulsera, por lo que debemos cuidar que combine bien con las rocallas.

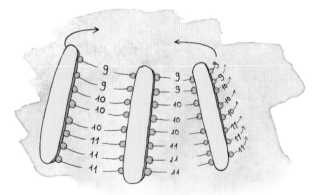

La pulsera admitirá hasta 15 filas de abalorios

3 Enhebre una aguja de enfilar en uno de los hilos elásticos e introduzca unos 5 cm de rocalla naranja. Haga lo mismo en cada hebra que salga del separador.

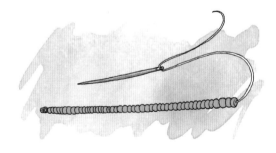

> ### MÁS DATOS
> En los separadores utilizaremos materiales naturales, como la madera o elementos marinos, teniendo en cuenta el aire informal del conjunto.

4 Introduzca otro separador y repita el paso anterior. Enfile 5 cm de rocalla entre el último separador y el primero para que quede bien terminado. Una los dos extremos de la pulsera con un nudo poniendo una gotita de pegamento transparente en cada uno para afianzar.

GARGANTILLA DE FLECOS VIOLETA

■ ■ ■ ■ ■ ▒

PARA ESTA TÉCNICA DE TEJIDO A MANO TRABAJAREMOS CON UN TIPO DE ABALORIO MUY VERSÁTIL: LAS ROCALLAS. ES MUY IMPORTANTE PARA ESTE TIPO DE PROYECTOS HACERSE CON ROCALLA DE CALIDAD UNIFORME, COMO LA ROCALLA JAPONESA.

NECESITARÁ

Abalorios y fornituras: • 25 g de rocalla tipo Miyuki en tres colores (en este caso hemos elegido azul, malva y violeta claro, todos con un acabado perlado) • 30 canutillos de color lila • 15 cuentas facetadas transparentes • Hilo de enfilar encerado • Aguja de enfilar (opcional) • Mosquetón y anilla para el cierre

Otro equipo: • Pegamento instantáneo transparente • Tijeras

PREPARACIÓN DE LA GARGANTILLA

1 Enfile una hilera de rocallas del largo que desee para su collar, creando el siguiente patrón: dos rocallas malva, una violeta.

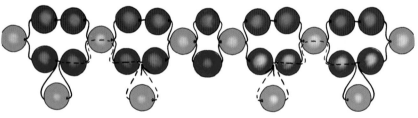

3 Una vez haya terminado la hilera del paso anterior, pase el hilo por una de las rocallas malva, enfile una rocalla de color claro, y vuelva a pasar el hilo por la siguiente rocalla malva. Continúe así hasta completar la secuencia.

4 Enfile una rocalla azul, pase el hilo a través de la siguiente rocalla de color claro, y enfile otras dos rocallas azules. Pase el hilo por la siguiente rocalla violeta. Siga añadiendo dos rocallas azules cada vez y pasando el hilo por las cuentas claras que sobresalen hasta llegar al otro extremo.

2 Vamos a realizar ahora una cadeneta inicial similar a la de la puntada peyote, pero enfilando dos rocallas cada vez, y saltándonos dos antes de pasar el hilo por la siguiente. Al haber alternado colores en la hilera principal, esta tarea es mucho más sencilla, pues simplemente tenemos que pasar el hilo cada vez por la rocalla de color claro.

5 Corte una sección de hilo de un largo que sea cómodo manejar. Enfile tres rocallas azules y cruce los cables en una facetada grande. Enfile rocallas por los dos hilos a la vez, alternándolas de la manera que muestra la imagen (abajo, derecha, página anterior).

Doble el collar por la mitad y determine dónde está el centro para colocar este primer fleco y a partir de ahí, vaya elaborando el resto. Enfile cada uno de los hilos por las dos rocallas azules que tienen a cada lado.

6 Para crear los siguientes hilos, enfile la misma combinación del paso 5, retirando tres rocallas en cada nuevo fleco, de manera que cada uno sea ligeramente más corto que el anterior.

7 Una vez haya introducido la facetada grande, enfile tres rocallas azules, y vuelva a pasar el hilo por la facetada y el resto de las rocallas y canutillos de la combinación anterior. Al terminar, pase el hilo por las dos rocallas azules siguientes del collar.

Con pequeñas variaciones a la puntada peyote podemos crear todo tipo de accesorios, como este vistoso collar con flecos.

8 Repita los pasos hasta tener siete flecos a cada lado del primero que colocamos. Cuando termine, anude los hilos, ponga una gotita de pegamento y coloque los cierres del collar.

GARGANTILLA CON ROSETÓN

■ ■ ■ ■ ■

Para esta gargantilla usaremos una técnica diferente de tejido con rocallas, que consigue un resultado similar a una especie de red. Aunque es algo más compleja que la puntada peyote, el secreto está en pensar en todo momento en el pequeño rosetón que realizaremos con cada puntada.

PREPARACIÓN DEL TEJIDO A MANO DE ROCALLA

1 Corte un fragmento de hilo de unos 95 cm. Anude el mosquetón del cierre en el centro de la sección y haga pasar los dos extremos del hilo por una rocalla, tal y como muestra la imagen. Enfile dos rocallas por cada hilo, y cruce los dos hilos en una sexta rocalla.

2 Vaya introduciendo cuidadosamente dos rocallas a cada lado y cruzando los hilos en otra, hasta obtener una cadena del mismo largo que queremos para nuestro collar.

3 En el penúltimo anillo de rocallas antes de terminar la cadena, enfile en uno de los hilos cinco rocallas, cruzando los dos lados en la última rocalla enfilada.

4 Haga pasar el hilo azul por la cuenta marcada con una A del eslabón anterior.

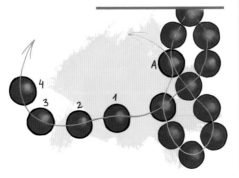

5 Enfile cuatro rocallas por el hilo que mira hacia abajo (en rojo en la imagen) y cruce los hilos en la última. Haga pasar el hilo rojo por la rocalla más cercana del eslabón de la derecha (B) y luego, por su equivalente del siguiente eslabón (C).

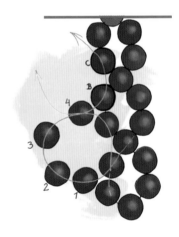

NECESITARÁ
Cuentas y fornituras:
• 25 g de rocalla tipo Miyuki
• Hilo de enfilar • Aguja de enfilar (opcional)
• Mosquetón y anilla para el cierre
Otro equipo: • Pegamento instantáneo transparente
• Tijeras • Cinta adhesiva

El hilo de nailon no es muy recomendable para este tipo de trabajos al ser demasiado rígido: lo mejor es usar hilo encerado o hilo especial para enfilado.

Esta técnica es una variación del tejido peyote, en la que se ha ampliado ligeramente el espacio entre las cuentas. Cuando no se domina esta técnica, es recomendable usar rocalla de un solo color. Una vez aprendida, se pueden crear todo tipo de diseños y estampados utilizando una plantilla.

Para facilitar el trabajo, se debe pegar el mosquetón del cierre a la mesa con cinta adhesiva y que la labor se mantenga fija mientras se añaden rocallas.

6 Inserte tres rocallas en el hilo que mira hacia fuera (marcado en azul en el dibujo). Fíjese siempre que quede un eslabón de seis rocallas. Cruce los hilos en la última rocalla y vuelva a pasar el hilo azul por las rocallas correspondientes, de manera que los hilos salgan por las rocallas marcadas con un asterisco.

7 Repita el paso anterior hasta completar todo el largo del collar, terminando así la segunda fila. Cuando solo falte un eslabón para completar la fila, repita otra vez los pasos 3-6 para crear la tercera fila.

8 Cree tantas filas como ancho se quiera que sea el resultado final. Para obtener un resultado más uniforme, añada una fila nueva a cada lado de la cadena principal.

GARGANTILLA PEYOTE

■ ■ ■ ■ ■

EN ESTA ORIGINAL GARGANTILLA DE AIRE ÉTNICO VAMOS A ALTERAR LA TÉCNICA ORIGINAL DE PUNTADA PEYOTE PARA DARLE UN ACABADO CIRCULAR. COMO LA PUNTADA PEYOTE ES UNA DE LAS MÁS VERSÁTILES PARA TRABAJAR CON ABALORIOS, SE PUEDEN CONSEGUIR MUCHAS MÁS VARIANTES Y DISEÑOS APELANDO A ESTA TÉCNICA

NECESITARÁ
Cuentas y fornituras: • 15 g de rocalla negra • 5 g de rocalla naranja • 5 g de rocalla roja • 5 g de rocalla rosa • 5 g de rocalla celeste • Aguja de enfilar • Hilo de enfilar • Cierre de collar plateado
Otro equipo: • Tijeras • Pegamento multiusos transparente

PREPARACIÓN DE LA GARGANTILLA

1 Enfile siete rocallas negras y una de color. Repita alternando los colores (cada color que introduzca equivale a la cabeza de una muñeca). Procure que las cuentas no queden demasiado juntas. El collar debe terminar en rocalla negra. Para hacer un collar del mismo largo que el de la imagen, repita la serie 24 veces, y alterne los colores así: rosa- rojo- naranja- rojo- naranja.

2 Terminada la primera hilera, enfile dos rocallas negras y pase el hilo por la penúltima cuenta de la fila anterior. Enfile otras dos rocallas, sáltese una, y pase el hilo por la siguiente, como muestra la imagen.

4 Inserte una rocalla, y, saltándose la última cuenta de la fila anterior, pase el hilo a través de la siguiente, de modo que la nueva rocalla quede en medio de las dos sobresalientes de la segunda fila. Lleve el hilo hasta la siguiente cuenta que sobresale, enfile una nueva rocalla y vuelva a pasar el hilo por la otra. Siga colocando una rocalla entre medias del grupo de dos de la fila anterior hasta completar la fila, y añada cuentas con el siguiente patrón: negra- negra- color- color.

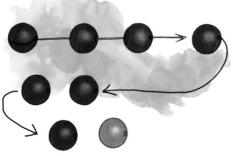

3 Siga enfilando dos rocallas cada vez y pasando la aguja a través de la siguiente (dejando una libre) hasta completar una segunda fila de rocalla. La alternancia de color en esta fila es: negra-negra- negra-negra- negra-color- color-negra- negra-negra- negra-negra.

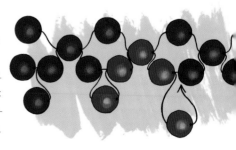

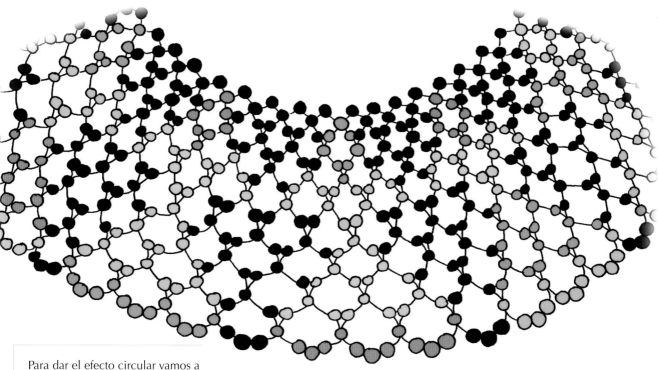

Para dar el toque étnico de esta gargantilla se han usado cuentas de colores contrastados que se trabajarán todas por separado y engarzadas igual para conseguir el aspecto circular.

5 Hasta ahora se ha explicado la puntada básica de este punto circular. A partir de aquí solo tiene que añadir rocallas en orden. La fila anterior dará la pista: si sobresale una sola rocalla, enfilaremos dos, pasando el hilo por la que sobresale. Si sobresalen dos, pasar el hilo por la primera y enfilar solo una, volviendo a pasar el hilo por la segunda hasta terminar la fila.

Para dar el efecto circular vamos a introducir una variación sobre la puntada básica peyote: enfilar dos rocallas cada vez en lugar de una y alternativamente para ir ensanchando la labor.

6 En esta hilera enfilamos dos rocallas así: dos negras- dos negras- dos negras- dos de color. Siga enfilando hileras y añada los colores según el gráfico. Fíjese en el patrón de color de cada fila. Puede cambiar los colores propuestos por los que prefiera.

MEDALLÓN COSIDO A MANO

■■■■■

CON ESTA TÉCNICA DE COSIDO DE ABALORIOS FABRICAREMOS ESTE PRECIOSO MEDALLÓN, QUE PODRÁ USAR COMO COLGANTE DE UN COLLAR MULTIHEBRAS A JUEGO O COMO UN ORIGINAL BROCHE.

PREPARACIÓN DEL TEJIDO DE ROCALLA

1 Marque el centro exacto en la pieza de cuero y haga lo mismo con el cabujón de esponja. En el caso del cabujón, debe marcar ambas caras. Puede utilizar un lápiz o un marcador especial de costura.

2 Con el pincel, extienda una capa de pegamento instantáneo en la cara inferior del cabujón y péguelo en el centro de la pieza de cuero, haciendo coincidir las dos marcas.

3 En la marca central del cabujón, pegue una rocalla grande. Corte una hebra de hilo y enhebre la aguja. Nunca use hebras más largas que su brazo extendido. Haga pasar la aguja por la pieza de cuero, dejando el nudo de la nueva hebra en la parte trasera. Puede utilizar una de las cuentas de corcho para calcular la distancia, colocándola junto al

cabujón de esponja y haciendo pasar la aguja justo por el punto donde está perforada la cuenta de corcho.

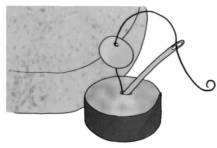

4 Enfile una rocalla grande (1/0) y vuelva a pasar el hilo por el agujero de la cuenta de corcho. Coloque otra cuenta de corcho junto a la primera y repita la operación. Siga así hasta haber colocado las 12 cuentas de corcho con sus respectivas rocallas alrededor del cabujón inicial. Remate y prepare una nueva hebra para el paso siguiente.

5 Coloque una concha marina frente a una de las cuentas de corcho que colocamos en el paso anterior y cósala a la pieza de cuero. Dé unas cuantas puntadas a cada lado hasta que la pieza está bien fija. Coloque el resto de las conchas alrededor de las cuentas de corcho. Fíjese que no siempre irán colocadas exactamente delante de cada cuenta: simplemente colóquelas juntas hasta completar el rosetón, creando una especie de flor. Procure que las conchas estén bien juntas unas con otras, pero sin solaparse.

NECESITARÁ

Cuentas y fornituras: • Un cabujón de esponja marina • 12 cuentas de corcho o madera • Unas 30 rocallas turquesa tamaño 1/0 (unos 5 mm) • 13 conchas marinas • 10 g de rocalla turquesa tamaño 8/0 (unos 3 mm) • Hilo de enfilar encerado • Aguja de enfilar

Otro equipo: • Una pieza de cuero fino de 8 x 8 cm • Pegamento instantáneo transparente • Tijeras • Un pincel fino (puede usar un pincel viejo de maquillaje)

Si coloca una base para broches en la parte trasera del rosetón, tendrá un divertido broche estival.

6 Cuando haya colocado las conchas, remate y prepare una nueva hebra. Pase el hilo a ¾ del extremo exterior de la concha. Enfile cuatro rocallas pequeñas (tamaño 8/0) y vuelva a pasar el hilo por la pieza de cuero, de manera que el hilo salga nuevamente en la mitad de las cuatro rocallas que acabamos de enfilar. Pase la aguja otra vez a través de las dos últimas rocallas y dé una puntada pequeña. Enfile otras cuatro rocallas y repita la operación. Rodee la parte externa de cada concha repitiendo esta serie de cuatro tres veces.

7 Cuando haya bordeado todas las conchas, haga una segunda hilera de rocalla, pero esta vez enfilando las cuentas de tres en tres. Una vez más, de cada tres rocallas que enfilamos, reforzamos dos, igual que en el paso anterior. Remate bien y con unas tijeras corte la pieza de cuero para crear la flor del rosetón.

8 Vamos a colocar ahora los flecos en los tres «pétalos» centrales de nuestra flor. Dejando tres rocallas libres del primer pétalo, pase la aguja enhebrada por la pieza de cuero y enfile unas 18 rocallas pequeñas (8/0). Enfile una rocalla grande (1/0) y otras tres pequeñas. Vuelva a pasar el hilo por la rocalla grande y toda la hilera inicial de rocallas pequeñas, dé una puntada en la pieza de cuero para tensar el hilo del fleco colocando las rocallas en su sitio y repita la operación hasta completar los 24 flecos.

Los flecos del proyecto

PULSERA RELIEVE CON PUNTADA LADRILLO

■ ■ ■ ■ ■ ■

Utilizando rocallas de distintos tamaños lograremos un interesante efecto tridimensional en esta pulsera que hemos tejido con puntada ladrillo. Este original diseño es perfecto para jugar y experimentar con distintas combinaciones de color.

Necesitará

Abalorios y fornituras: • 5 g de rocallas redondas Miyuki tamaño 1/0 (6,5 mm) color rosa palo con efecto glaseado arco iris • 5 g de rocallas redondas Miyuki tamaño 5/0 (5 mm) color crema con efecto glaseado arco iris • 5 g de rocallas redondas Miyuki tamaño 6/0 (4 mm) color gris perla con efecto glaseado arco iris • 5 g de rocallas redondas Miyuki tamaño 8/0 (3 mm) color grafito rojizo con efecto glaseado arco iris • Hilo de enfilar encerado • Aguja de enfilar
Otro equipo: • Tijeras • Un par de barras espaciadoras • Cierre para la pulsera • 2 anillas de unión • Alicates para las anillas

---

PREPARACIÓN DE LA PULSERA

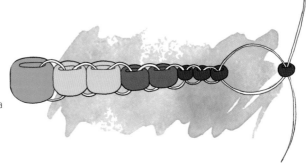

1 La base de esta puntada es una fila de rocallas en «escalera», de la medida de nuestra muñeca. Corte una hebra del tamaño de nuestro brazo extendido. Enfile una cuenta rosa tamaño 1/0 en el centro de la hebra y cruce los hilos en una segunda cuenta de color crema tamaño 5/0. Siga añadiendo cuentas con la puntada «escalera», en la que cruzamos los hilos en cada cuenta nueva.

De acuerdo con nuestro diseño, el orden en el que vamos a enfilar las rocallas es el siguiente: una rosa tamaño 1/0 , dos crema tamaño 5/0, dos gris perla tamaño 6/0, dos grafito rojizo tamaño 8/0, dos gris perla tamaño 6/0, dos crema tamaño

5/0 y vuelta a empezar. Si tiene dudas, consulte la plantilla. Termine la hilera con una cuenta crema.

2 Una vez terminada la hilera anterior, empezamos con la segunda fila, para lo que seguiremos la técnica de la puntada ladrillo (si tiene dudas al respecto, puede consultar el paso a paso de la página 45). Enfile una rocalla rosa y una crema, y pase la aguja a través del hilo que une las dos rocallas anteriores, volviéndolo a pasar por la segunda rocalla que acabamos de enfilar (la de color crema).

3 Enfile otra rocalla color crema, pase el hilo a través de la unión de las dos siguientes rocallas de la fila anterior y de nuevo sobre la cuenta que acabamos de enfilar. Siga añadiendo rocallas con esta técnica hasta terminar la fila fijándose en la

La puntada ladrillo también se llama comanche. La armadura resultante es fuerte y flexible: una opción excelente para proyectos que exijan rigidez.

plantilla para ir introduciendo el color adecuado. Como ve, en la greca, cada color dibuja una pirámide usando dos cuentas en cada línea, excepto las cuentas más grandes (las rosas) que solo llevan una cuenta.

4 Para crear la tercera fila, vuelva a enfilar dos cuentas y vuelva a pasar el hilo por la segunda. Fíjese bien en la plantilla para saber qué color debe

introducir cada vez. Tense bien los hilos al juntar rocallas de distinto tamaño para que la más pequeña no quede floja.

Siga tejiendo hasta obtener 14 filas, o el ancho deseado. Para el cierre, cosa en cada extremo de la pulsera una barra espaciadora de cierre que tenga un agujero menos que el número de filas que lleva la

pulsera. Con anillas de unión y unos alicates, una las barras espaciadoras a un cierre en T.

Esta técnica imita el orden de una pared de ladrillos. Con esta plantilla puede hacer sus propios dibujos Cálquela para dibujar sus propios diseños y experimentar con diferentes motivos usando la técnica de puntada ladrillo.

ENFILADO TUBULAR

■ ■ ■ ■ ■

La mayoría de las puntadas básicas permiten tejer de manera circular, como en esta divertida pulsera en forma de tubo que va adornada con tupis de colores y un «charm» con forma de gato.

Necesitará

Cuentas y fornituras: • Tupis de cristal de Swarovski de 6 mm: 2 naranja, 1 amarillo, 1 granate, 1 rojo, 1 blanco • 3 mm: 30 rojo, 30 naranja, 30 granate, 30 amarillo • Rocallas Miyuki: tamaño 11/0 (2 mm) 10 g doradas metalizadas, tamaño 8/0 (3 mm) 5 g cobre metalizado • Hilo de enfilar encerado • Aguja de enfilar • 2 bastoncillos plateados de cabeza de anilla • Dos tapanudos de cobre grabado • Un cierre decorativo de cobre con forma de T • Un bastoncillo de cobre con cabeza de anilla • Un bastoncillo de cobre con cabeza de bola • Un colgante de cobre grabado con forma de gato • 3 anillas de unión de cobre

Otro equipo: • Tijeras • Alicates de punta redonda • Alicates de punta plana • Pegamento multiusos transparente • Un trozo pequeño de alambre fino

PREPARACIÓN DE LA PULSERA

1 Corte un fragmento de hilo de enfilar encerado con el que sea cómodo trabajar. Para realizar la primera vuelta de la pulsera, utilizaremos cuatro rocallas tamaño 8/0 (3 mm) de color cobre metalizado y cuatro tupis de cristal de Swarovski de 3 mm, uno de cada color. Inserte una rocalla, un tupi granate, una rocalla, un tupi rojo, una rocalla, un tupi naranja, una rocalla y el último tupi amarillo, dejando una hebra de unos 5-10 cm. Cruce los hilos en la primera rocalla enfilada y utilice la hebra apartada para sostener su labor.

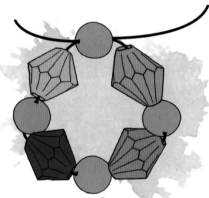

2 Para crear la segunda fila, enfile tres rocallas tamaño 11/0 (2 mm) color dorado, una rocalla tamaño 8/0 (3 mm) color cobre y otras tres rocallas doradas. Pase el hilo por la siguiente rocalla cobre de la fila anterior, como muestra la imagen. Repita la misma acción hasta completar la fila, y al terminar esta nueva vuelta, pase el hilo de nuevo

por las tres primeras rocallas doradas enfiladas y por la rocalla cobre central, de manera que la hebra que estamos utilizando sobresalga de la primera rocalla cobre de la segunda fila.

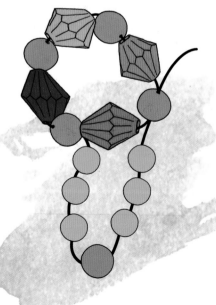

Para que sea más fácil realizar el tubo que forma la pulsera, se puede colocar dentro de la anilla un bolígrafo o cualquier otro objeto con forma de tubo que tenga un grosor similar.

3 En la tercera fila repetiremos la misma serie que en la vuelta uno, pero utilizando las rocallas color cobre de la fila anterior, así que solo tendremos que enfilar un tupi de cada color y pasar el hilo por la siguiente rocalla de la fila anterior. Use la misma combinación de colores que en la primera fila, pero moviéndolos un espacio para obtener mayor contraste.

Repita el paso 2 para crear la siguiente fila. Alterne las instrucciones de los pasos 2 y 3 hasta obtener el largo deseado. Termina en una fila igual que la primera, y para cerrar, lleve la hebra hacia atrás por los abalorios, haga un nudo y ponga un poco de pegamento.

4 Inserte el alambre en una de las rocallas de cobre de la primera fila. Busque un alambre de calibre lo bastante fino como para que entre por el agujero de las cuentas. Doble el fragmento de alambre, de manera que la cuenta quede colocada en el centro.

Retuerza las dos hebras de alambre y pase una de ellas por la rocalla de enfrente. Vuelva a unir las dos hebras y retuérzalas entre sí con los alicates, de manera que la unión quede bien firme, pero con cuidado de no deformar el tubo de tejido. Ponga una gotita de pegamento en la unión y deje secar. Haga lo mismo en el otro extremo de la pulsera.

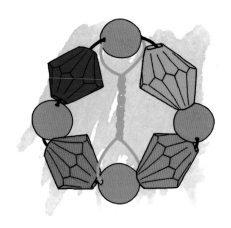

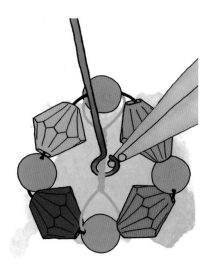

5 Abra los bastoncillos de anilla plateados y colóquelos en cada una de las espirales de alambre que acabamos de crear. Puede fijar la unión de las anillas con un poco de pegamento. Enfile en cada bastoncillo un tapanudos de cobre y un tupi naranja.

Cree con los alicates una anilla por encima de cada tupi y corte el exceso de alambre. Una cada anilla a un extremo del cierre en T, dejando una de las dos anillas abiertas para colocar dentro los dos «charms» de la pulsera.

6 En el bastoncillo de cobre de cabeza de bola, enfile tres tupis de cristal de Swarovski de 6 mm, uno granate, uno rojo y uno amarillo. Haga una anilla por encima de los tupis con ayuda de los alicates, corte el exceso de alambre y pásela por la anilla abierta del cierre.

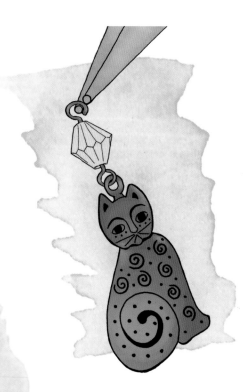

MÁS DATOS

Para completar el aire romántico y glamouroso del brazalete, se cierra con una sola anilla decorativa de tamaño medio y un tope alargado en forma de T (que para asegurar, podemos unirlo a la pulsera mediante una pequeña cadena). Dicho cierre debería ser de tonos cobrizos y cálidos, como el «charm» de gato, aunque no es imprescindible la unificación decorativa de ambos.

7 Coloque el tupi blanco en un bastoncillo de cabeza de anilla de cobre, cree una anilla con los alicates por encima del tupi y corte el exceso de alambre. Abra la anilla y coloque dentro el «charm» de cobre con forma de gato. Coloque la anilla del otro extremo dentro del bastoncillo plateado del cierre que está abierto y ciérrelo con los alicates.

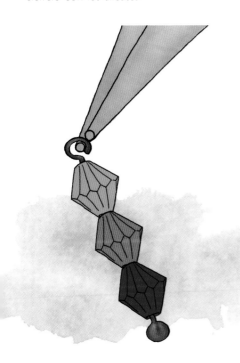

Los «charms» ofrecen muchas posibilidades a cada proyecto. Si tradicionalmente su utilización decorativa se ceñía al cierre, ahora se ha extendido al ancho de la pieza y pueden colgar de cada una de las anillas.

CÓMO CALCULAR EL LARGO DE LA PULSERA

Mida la muñeca con una cinta métrica. Enfile en cada uno de los bastoncillos plateados de cabeza de anilla un tupi de cristal de Swarovski de 6 mm de color naranja y uno de los tapanudos de cobre. Con los alicates, una las anillas de los bastoncillos a cada uno de los extremos del cierre en T. Abroche el cierre, coloque el conjunto en una superficie plana, y mida con la regla la distancia que hay entre los dos tapanudos. Reste esta medida a la medida de la muñeca y ese será el largo de abalorios que tendrá que tejer.

ANILLO MIL FLORES

■ ■ ■ ■ ■

Ahora que ya conoce las nociones básicas de tejer con abalorios, puede ampliar su repertorio para crear piezas realmente espectaculares. Aprenda a realizar estos sencillos rosetones con tupi y rocalla si desea crear este original y precioso anillo.

Necesitará

Cuentas y fornituras: • 20 tupis de cristal de Swarovski • 5 g de rocalla • Hilo de nailon • Aguja de enfilar (opcional)

Otro equipo: • Pegamento instantáneo transparente • Tijeras

PREPARACIÓN DEL ANILLO

crear cuatro pétalos, de forma que haya un tupi entre cada dos rocallas del anillo central.

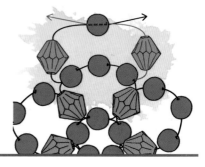

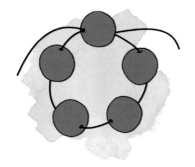

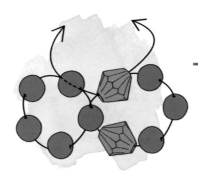

1 Corte hilo de nailon de la longitud del brazo extendido. Enfile cuatro rocallas y cruce hilos en la quinta.

2 En uno de los hilos, enfile un tupi y tres rocallas. Cruce los hilos en un segundo tupi, completando así el primer «pétalo» de la flor, y fije el pétalo en su lugar pasando el hilo que mira hacia el anillo central por la siguiente rocalla. Para crear el segundo pétalo, enfile tres rocallas por el hilo que sale del tupi y vuelva a cruzar hilos en un nuevo tupi. Repita hasta

3 En el último pétalo creado, pase el hilo de abajo por una rocalla y por el siguiente tupi, de modo que cada hilo sobresalga de uno de los dos últimos tupis de la flor.

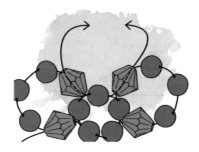

4 En cada hilo enfile una rocalla. Cruce hilos en una tercera y vuelva a pasar los hilos por las rocallas enfiladas, finalizando la primera flor. Cada uno de los hilos sobresale por un extremo del último pétalo.

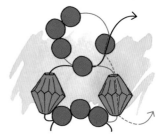

5 La segunda flor comparte las tres últimas rocallas enfiladas en la primera. Enfile un tupi por cada hilo y crúcelos en una rocalla, que es la primera cuenta del anillo central de la segunda flor.

6 Cree el anillo central de la segunda flor enfilando tres rocallas en uno de los hilos y cruzando hilos en una cuarta. Este nuevo anillo de cinco rocallas será la base de la segunda flor. Pase el hilo por el tupi más cercano para fijar bien el anillo. Esta nueva flor ya tiene terminado el primer pétalo. Repita los pasos 3-4 hasta completar la segunda flor.

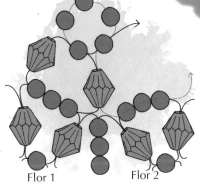

Flor 1   Flor 2

En el último pétalo, repita los pasos 4-7, obteniendo el anillo central de la tercera flor. Esta flor comparte dos pétalos, uno con la flor 1 y otro con la flor 2, así que pase el hilo interior por las tres rocallas más cercanas de la flor 2, cruzando hilos en un nuevo tupi y pasando el hilo interior por la siguiente rocalla central.

7 Ahora llevaremos los hilos al otro lado de las dos flores centrales, para crear la cuarta. En el último pétalo, pase el hilo que apunta la labor (en la imagen, el rojo) por la siguiente rocalla central, tupi y, y por las tres rocallas centrales de la primera flor. Pase el hilo exterior (verde) a través de las tres rocallas más cercanas de la flor 1 y

continúe por las rocallas exteriores hasta llegar al otro lado.

8 Para la última flor; enfile un tupi por cada hilo y cruce en una rocalla. En un hilo enfile tres rocallas. Cruce en una cuarta, logrando la anilla central de cinco rocallas de la cuarta y última flor. Pase la anilla que mira al interior por el siguiente tupi. Teja igual que antes hasta terminar la flor. No olvide enlazar en el último pétalo, con las tres rocallas laterales de la otra flor, que son compartidas entre las dos. Al terminar, anude las dos hebras y ponga pegamento.

9 Corte una nueva hebra y pásela alrededor de las tres flores, haciendo presión. Use esta hebra para crear el aro del anillo.

Para cerrar el anillo, enfile una vez más tres rocallas en cada hilo, y pase la hebra por las tres rocallas laterales de la flor opuesta a la que empezó. Lleve los hilos por las rocallas centrales, y cuando se encuentren, haga un nudo en la cara interna del anillo. Ponga pegamento para asegurar el nudo. Deje secar.

BRAZALETE DE ABALORIOS COSIDOS

■ ■ ■ ■ ■ ■

PARA CREAR ESTE PRECIOSO BRAZALETE DE INSPIRACIÓN INDIA HEMOS UTILIZADO LA TÉCNICA DE ABALORIOS BORDADOS, COSIENDO LAS CUENTAS DE MANERA VERTICAL SOBRE UN BRAZALETE DE ACERO INOXIDABLE FORRADO EN TELA. LA GAMA DE COLORES VA DESDE EL NEGRO HASTA EL ROJO INTENSO, CON PINCELADAS DORADAS Y PLATA.

NECESITARÁ

Abalorios y fornituras: • 60 cuentas de madera lacada de color rojo de 8 mm de ø • 60 cuentas de madera lacada de color granate de 6 mm de ø • 100 perlas tipo Magica rojas de 4 mm de ø • 144 cuentas de cristal cilíndricas tipo Miyuki de 3 mm, color negro • 40 cuentas de cristal cilíndricas tipo Miyuki de 3 mm, color dorado metalizado • 32 cuentas de cristal cilíndricas tipo Miyuki de 3 mm, color plata metalizada • 80 cuentas de cristal cuadradas tipo Miyuki de 3 x 3 x 3, tono naranja transparente • 80 «chips» de coral rojo • 40 tupis opacos de cristal de Swarovski de 3 mm de color rojo

Otro equipo: • Brazalete de acero inoxidable forrado en tela, o cualquier otro tipo de brazalete ancho forrado en tela • Aguja de enfilar fina • Hilo de «patchwork» rojo • Tijeras • Pegamento multiusos transparente • Cinta métrica • Bolígrafo borrable para tela o pastilla de jabón

---

PREPARACIÓN DEL BRAZALETE

1 Mida con la cinta métrica la circunferencia de la base de la pulsera y divida entre nueve el resultado. Marque con el bolígrafo de costura o con el canto de una pastilla de jabón nueve muescas a lo largo del cilindro, en las que crearemos líneas divisorias con cuentas de cristal cilíndricas de 3 mm.

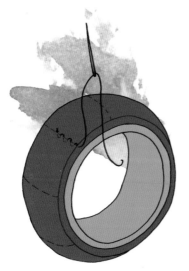

2 Corte una hebra de hilo de «patchwork» rojo de una longitud con la que sea cómodo trabajar. Haga un nudo en uno de los extremos y en el otro enhebre una aguja de enfilar fina. Dé una puntada en el centro de una de las muescas del cilindro de la pulsera; así el nudo quedará oculto entre los abalorios bordados. Dé puntadas siguiendo la línea que ha trazado antes, hasta llegar al borde exterior de la pulsera, de manera que la hebra sobresalga de uno de los extremos del cilindro, como muestra la imagen.

MÁS DATOS

Busque una base que sea del mismo color que las cuentas que vaya a utilizar, incorporándola así al diseño de la pieza. Si tiene un brazalete forrado con una tela estampada, busque abalorios de los mismos colores que el estampado y forre la pulsera siguiendo el mismo dibujo.

3 Enfile una cuenta de cristal cilíndrica tipo Miyuki de 3 mm de color dorado metalizado, e introduzca de nuevo la aguja en el tejido en dirección opuesta, fijando así la cuenta en su lugar. Vuelva a sacar la aguja por el lado derecho de la cuenta y haga pasar el hilo una vez más por el abalorio. Repita la operación hasta formar una fila entera de cilindros dorados, con cuidado de que queden bien juntos y fijados a la tela.

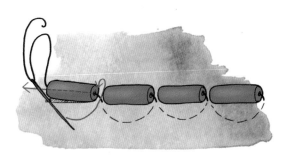

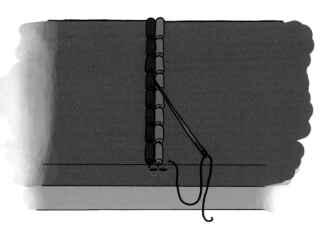

4 Cuando llegue al otro extremo del brazalete, dé una puntada lateral pequeña para comenzar la siguiente fila de cilindros negros, que deben quedar justo al lado que los plateados. Repita el paso anterior hasta llegar al otro extremo y, al final, dé dos puntadas laterales para crear otra hilera de cilindros negros al otro lado de la línea de cuentas plateadas.

5 Repita los pasos 2-3 para crear el mismo patrón en cada una de las muescas. Combine en la fila central cilindros plateados o dorados. En el ejemplo hemos seguido el siguiente patrón: dorado- plata- plata- dorado- plata- dorado- plata- dorado- plata.

Ahora tenemos nueve franjas de abalorios cilíndricos y nueve fragmentos de tela sin forrar. Vamos a utilizar la misma técnica para ir cosiendo hileras de abalorios variados entre las franjas de cilindros. Como puede ver, al coserlos de uno en uno, obtendremos un resultado más uniforme que al coserlos en grupos de varios abalorios.

6 Siga la misma técnica usada para los cilindros para crear cinco filas de perlas tipo Magica rojas de 6 mm de diámetro, con 10 perlas en cada fila, completando así uno de los espacios de tela. Haga lo mismo en el otro extremo del brazalete hasta gastar todas las perlas.

7 Utilice la misma técnica para crear cinco filas de cuentas de madera lacada, combinando las rojas y las granates. Coloque ocho cuentas en cada fila. Haga lo mismo en el otro extremo del brazalete hasta gastar todas las cuentas de madera, completando así otros dos espacios.

8 Utilice la misma técnica para crear cinco filas de cuentas de cristal cuadradas tipo Miyuki de 3 x 3 x 3 en tono naranja transparente. Coloque ocho cuentas en cada fila. Haga lo mismo en el otro extremo del brazalete, de modo que tenga completados seis de los espacios.

9 Siga la misma técnica para crear cinco filas con unos 10 «chips» de coral rojo en cada una. Haga lo mismo en el otro extremo del brazalete, dejando tan solo un espacio de tela sin cubrir (imagen de la derecha).

10 En el último fragmento de tela, borde hileras de tupis opacos de cristal de Swarovski de 3 mm en color rojo y remate la labor (imagen de la izquierda).

MÁS DATOS

Aunque en el mercado puede encontrar brazaletes ya forrados en tela, como el que se ha usado para el ejemplo, con base de acero inoxidable, no olvide que es muy sencillo forrar en casa sus propios brazaletes. Tan solo debe conseguir una anilla que sea bastante grande para usarla como pulsera y seguir las instrucciones indicadas en la sección «Preparación de anillas forradas» de la página 64. Esta técnica también es perfecta para reciclar brazaletes viejos o pasados de moda.

COLLARES EN TELAR

■ ■ ■ ■ ■

PARA CREAR ESTE LLAMATIVO COLLAR CON
FLECOS INSPIRADO EN LOS PORTADOS POR LOS
INDIOS NATIVOS AMERICANOS, HEMOS
COMBINADO ROMBOS DE DIFERENTES TAMAÑOS
ELABORADOS CON LA AYUDA DE UN TELAR PARA
ABALORIOS CON DIVERTIDOS FLECOS DE ROCALLA.

NECESITARÁ
Abalorios y fornituras: • 5 g de rocalla amarilla • 10 g de rocalla azul • 20 g de rocalla verde
• 25 g de rocalla blanca • 25 g de rocalla negra • Hilo de enfilar encerado • Aguja de enfilar
Otro equipo: • Tela para abalorios • Tijeras • Cierre con mosquetón • Cadena para extensión • 2 anillas
de unión • Alicates • Pegamento • Cinta adhesiva protectora

PREPARACIÓN DE LOS ROMBOS

1 Coloque en el telar 12 hilos,
como se explica en la página 48. Ate
una hebra en el hilo de la izquierda
de la urdimbre, a 2 cm de la parte
superior. Enfile una rocalla blanca y
pase la aguja por debajo de los hilos
de la urdimbre. Teja la cuenta sobre
los dos primeros hilos. Enfile dos
rocallas blancas y téjalas en los dos
primeros hilos de la misma manera.

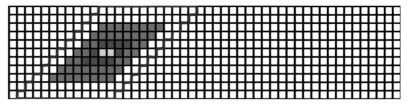

2 Siga enfilando el número de rocallas indicado y tejiéndolas al número de
hilos necesario. No serán necesarios todos los hilos de la urdimbre hasta llegar
a la fila 10. Al llegar a la fila 13, comience a tejer por el segundo hilo, y así
sucesivamente hasta completar el rombo.

PREPARACIÓN DEL CIERRE Y DE LAS SARTAS LATERALES

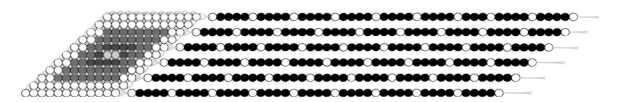

1 Retire del telar. En uno de los extremos del rombo, una los dos primeros hilos de la urdimbre e introduzca en los dos
hilos una rocalla blanca y cuatro negras. Repita hasta tener seis hileras, con dos hilos de la urdimbre dentro de cada una.
Siga los pasos para crear cuatro rombos con hileras de rocallas por un lado y las hebras sueltas de la urdimbre por el otro.

2 En el lado contrario a las hileras
de uno de los rombos, introduzca en
el hilo superior siete rocallas blancas.
Vuelva a pasar el hilo por la primera,
haga un nudo y fije con pegamento.
Introduzca dentro del aro de
abalorios una de las anillas del cierre
con uno de los alicates. Repita para
unir el otro extremo del cierre a otro
de los rombos creando una anilla de
rocalla. Lleve el resto de los hilos
sueltos hacia dentro de la labor,

dando algunas puntadas como si
tejiera de nuevo los abalorios y
haga un nudo en la parte trasera.
Haga lo mismo con el otro
rombo de cierre.

Teja el hilo de los flecos de
cada rombo de cierre entre los
abalorios superiores de los otros

dos rombos, anude en la parte trasera
y ponga una gotita de pegamento,
creando así los dos extremos del
collar.

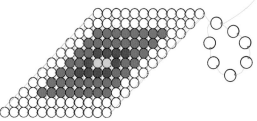

PREPARACIÓN DEL ROMBO CENTRAL

1 Coloque en el telar 24 hilos, tal y como se explica en el apartado del telar de abalorios de la página 48. Encuentre los dos hilos centrales (números 12 y 13) y ate una nueva hebra en el de la izquierda, a 2 cm de la parte superior. Enfile una rocalla blanca y pase la aguja por debajo de los hilos de la urdimbre. Teja la cuenta sobre los hilos centrales.

Enfile tres rocallas blancas y téjalas en los siguientes hilos de la misma manera. Siguiendo el esquema inferior, enfile el número de rocallas indicado y tejiéndolas en el número de hilos necesario, igual que hicimos

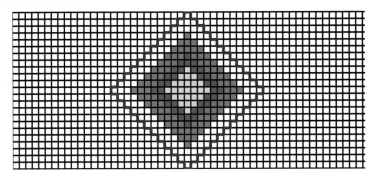

con los rombos. Tenga en cuenta que no será necesario usar todos los hilos de la urdimbre hasta llegar a la fila 12.

Al llegar a la fila 13, comience a tejer por el segundo hilo, y así sucesivamente en las filas siguientes. Continúe hasta completar el medallón.

Una los extremos del collar con la parte superior del motivo central, igual que hicimos en el paso 3. Los flecos inferiores del medallón no parten de los hilos de la urdimbre, así que dé algunas puntadas hacia atrás para ocultar los hilos y corte con la tijera.

PREPARACIÓN DE LOS FLECOS

1 Corte un fragmento de hilo de unos 25 cm y páselo por una de las rocallas del vértice lateral del motivo central. Una los hilos y enfile rocallas de colores siguiendo el orden indicado en la imagen. Cuando haya terminado el fleco, ponga un poco de cinta adhesiva protectora en los hilos para que no se escapen las cuentas. Repita la operación con nuevos fragmentos de hilo, introduciendo uno en cada rocalla hasta completar todos los flecos, siguiendo el diseño de la imagen. Observe que en cada nuevo fleco introduciremos una rocalla blanca más que en el anterior, creando así un efecto circular, y pasado el vértice inferior haremos lo mismo, pero retirando una rocalla blanca cada vez.

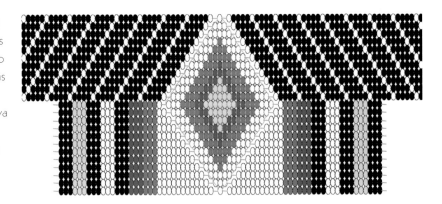

2 Para terminar, retire la cinta adhesiva de uno de los flecos y enfile tres rocallas blancas en uno de los hilos.

Cruce hilos en la tercera rocalla y haga un nudo ejerciendo algo de presión para que las rocallas queden bien colocadas. Ponga una gotita de pegamento para fijar el nudo y escóndalo dentro de una rocalla. Repita la misma técnica en cada fleco.

MÁS DATOS

En seguida descubrirá lo cómodo, rápido y divertido que es tejer en el telar, lo que nos permite realizar piezas de mayor tamaño en poco tiempo. Como puede comprobar, las cuentas tejidas en el telar van colocadas de manera regular, por lo que con una hoja de cuadrícula podrá realizar fácilmente cualquier diseño que quiera reproducir. Recuerde que puede introducir una nueva hebra tantas veces como quiera, lo que nos permite realizar labores de cualquier tamaño, sin importar su longitud.

Puede incluso crear originales cinturones de abalorios; simplemente tome las medidas pertinentes y en lugar de montar un cierre ordinario de bisutería, enlace su labor en una base para cinturón. En el mercado podrá encontrar un tipo de cierres para cinturón que van adheridos al tejido con unos pequeños dientes, y que resultarán perfectos para este tipo de trabajos.

Cuando la labor que vaya a realizar tenga mayor longitud que su telar, enróllela sin miedo alrededor de los tornos laterales a medida que vaya avanzando, de la misma manera que se haría con los hilos al tejer de manera ordinaria.

PENDIENTES MUY EXCLUSIVOS

■ ■ ■ ■ ■

NO TENGA MIEDO DE EXPERIMENTAR CON LAS PUNTADAS BÁSICAS PARA CREAR CUALQUIER DISEÑO QUE IMAGINE. PARA REALIZAR ESTOS EXTRAVAGANTES PENDIENTES DE FANTASÍA, HEMOS CREADO ORIGINALES ROSAS DE ROCALLA CON LA PUNTADA LADRILLO Y UNOS FAVORECEDORES FLECOS.

NECESITARÁ

Abalorios y fornituras: • 5 g de rocalla roja transparente tamaño 11/0 (2 mm) • 5 g de rocalla negra opaca tamaño 11/0 (2 mm) • Unas 40 rocallas blancas transparentes tamaño 5/0 (5 mm) • Hilo de enfilar • Aguja de enfilar • 2 terminales para pendientes plateados con forma de garfio

Otro equipo: • Tijeras • Pegamento • Alicates de punta redonda

---

PREPARACIÓN DE LOS PENDIENTES

1 La base de la puntada ladrillo está formada por una hilera de rocallas en «escalera». Enhebre la aguja e introduzca una rocalla negra. Cruce los hilos en una segunda rocalla negra; hasta obtener la forma de la flor, debe crear algunas filas en las que las rocallas sobresalgan del tejido básico, y otras en las que se disminuya el número de abalorios.

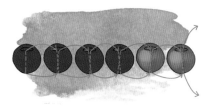

2 Siga añadiendo abalorios y cruzando hilos en cada uno. Observe el esquema de la rosa para seguir el orden correcto de colores.

3 Una vez terminada la hilera principal en «escalera», empezamos con la segunda fila, en la cual es necesario aumentar un abalorio. Deseche la hebra inferior, y enfile una rocalla en el hilo superior, como haríamos para crear la puntada de manera ordinaria. Introduzca una rocalla extra (o más si fuera necesario), y vuelva a pasar el hilo por la rocalla anterior. Pase la hebra entre el hilo que une las dos últimas rocallas de la fila anterior y luego vuelva a pasarla por la última rocalla. Introduzca otra rocalla del color

indicado en el esquema y repita la operación.

A partir de aquí, simplemente siga añadiendo rocallas de la misma manera hasta terminar la fila.

4 Continúe tejiendo en el orden indicado en el esquema. Para disminuir los abalorios de una fila, introduzca tan solo una rocalla y pase la hebra por el hilo que une las dos últimas cuentas de la fila anterior. Si necesita reducir aún más rocallas, lleve la hebra hacia atrás en la última fila y comience la nueva hilera reducida a la altura necesaria.

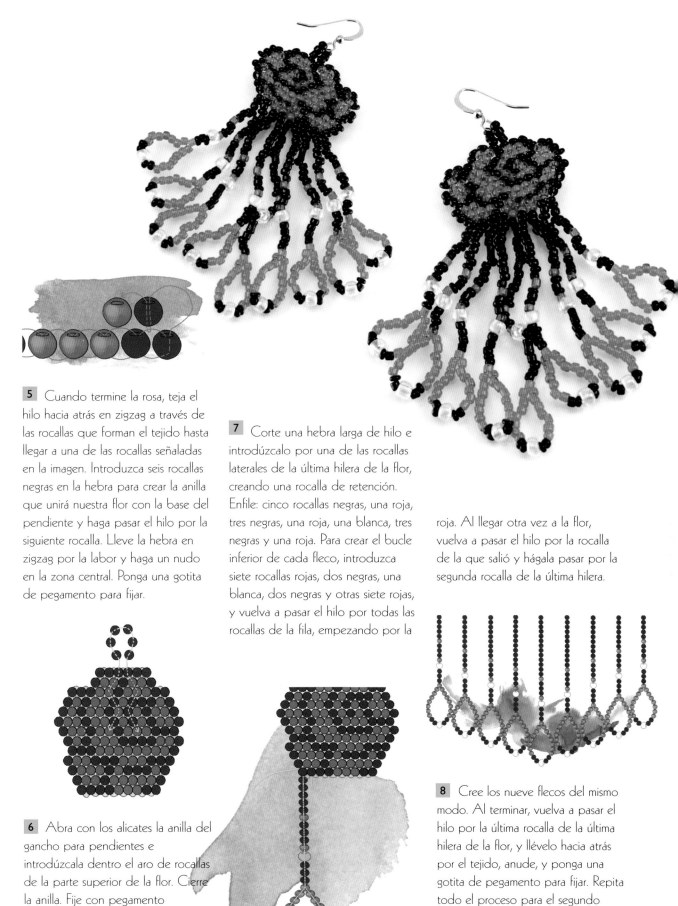

5 Cuando termine la rosa, teja el hilo hacia atrás en zigzag a través de las rocallas que forman el tejido hasta llegar a una de las rocallas señaladas en la imagen. Introduzca seis rocallas negras en la hebra para crear la anilla que unirá nuestra flor con la base del pendiente y haga pasar el hilo por la siguiente rocalla. Lleve la hebra en zigzag por la labor y haga un nudo en la zona central. Ponga una gotita de pegamento para fijar.

7 Corte una hebra larga de hilo e introdúzcalo por una de las rocallas laterales de la última hilera de la flor, creando una rocalla de retención. Enfile: cinco rocallas negras, una roja, tres negras, una roja, una blanca, tres negras y una roja. Para crear el bucle inferior de cada fleco, introduzca siete rocallas rojas, dos negras, una blanca, dos negras y otras siete rojas, y vuelva a pasar el hilo por todas las rocallas de la fila, empezando por la roja. Al llegar otra vez a la flor, vuelva a pasar el hilo por la rocalla de la que salió y hágala pasar por la segunda rocalla de la última hilera.

6 Abra con los alicates la anilla del gancho para pendientes e introdúzcala dentro el aro de rocallas de la parte superior de la flor. Cierre la anilla. Fije con pegamento transparente la muesca de la anilla.

8 Cree los nueve flecos del mismo modo. Al terminar, vuelva a pasar el hilo por la última rocalla de la última hilera de la flor, y llévelo hacia atrás por el tejido, anude, y ponga una gotita de pegamento para fijar. Repita todo el proceso para el segundo pendiente.

MEDALLÓN CACHEMIR

■ ■ ■ ■ ■

LA INSPIRACIÓN ELEGIDA PARA CREAR ESTE PRECIOSO MEDALLÓN SON LOS CARACTERÍSTICOS ESTAMPADOS CON FORMA DE LÁGRIMA DE LOS TEJIDOS DE CACHEMIR. CON ESTA MISMA TÉCNICA PODRÁ CREAR TAMBIÉN ORIGINALES BROCHES Y PENDIENTES.

NECESITARÁ

Cuentas y fornituras: • Un cabujón redondo de piedra del sol • 5 g de rocalla tamaño 8/0 (3 mm) con acabado metálico, de un color similar al del cabujón • 5 g de rocalla tamaño 8/0 (3 mm) con acabado metálico, en diversos tonos cálidos • 5 g de rocalla tamaño 1/0 (6,5 mm) de color dorado metalizado • 5 g de rocalla tamaño 5/0 (5 mm) en distintos tonos, con acabado AB • 5 g de rocalla hexagonal tamaño 8/0 (3 mm) en dorado metalizado • 5 g de rocalla hexagonal tamaño 8/0 (3 mm) en rosa metalizado • 5 g de rocalla tamaño 6/0 (4 mm) en distintos tonos, con acabado AB • Hilo de enfilar • Aguja de enfilar

Otro equipo: • 2 fragmentos de cuero fino • Tijeras • Pegamento transparente

---

PREPARACIÓN DE LA BASE DEL CABUJÓN

I Ponga pegamento en la parte trasera del cabujón y colóquelo en una de las piezas de cuero. Enhebre la aguja y haga un nudo en el otro extremo del hilo. Cuando el pegamento seque, pase la aguja por la parte trasera del cuero, de modo que sobresalga a pocos milímetros del cabujón.

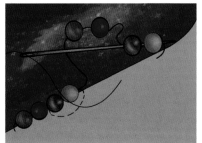

2 Enfile cuatro rocallas tamaño 8/0 (3 mm) con acabado metálico en tonos cálidos, y vuelva a pasar la aguja por el cuero, de modo que bordeen el cabujón. Saque la aguja en el punto medio entre las cuatro cuentas y vuelva a pasarla por las dos últimas. Enfile otras cuatro cuentas y repita. Continúe hasta completar el contorno del cabujón. Para rematar, pase el hilo por el cuero y por la primera rocalla de la hilera.

3 Recorte el trozo de cuero alrededor de la hilera de rocallas, con cuidado de no cortar los hilos.

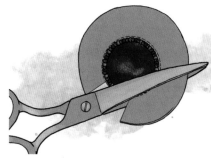

A partir de los dos hilos que salen de la anilla, seguir enfilando rocallas para hacer la cadena. No es necesario un cierre metálico para este proyecto, pues la combinación del lazo de raso con la cadena de cuentas y el cuero admiten un nudo o lazada con aire «vintage».

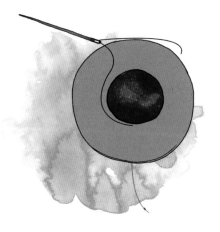

MÁS DATOS

Con rocallas esféricas de tamaño 1/0 y alternando la gama de colores utilizada en el medallón, haremos la cadena del largo deseado para sujetar la pieza central. Las tres cadenas que sujetan el medallón deber ser del mismo largo y su diseño combinado admite nudos o lazadas que resalten el colgante sin quitarle protagonismo. Es un juego de equilibrio estético que admite todas las posibilidades.

4 La segunda hilera de rocalla se cose al borde del trozo de cuero. Enfile otra rocalla tamaño 8/0 con acabado metálico, dé una puntada en el borde del cuero y vuelva a pasar el hilo por la rocalla. Repita hasta completar la hilera de rocallas. Para rematar, pase el hilo por la primera cuenta y otra vez por la última.

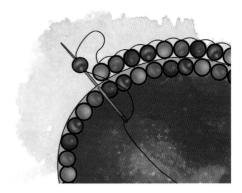

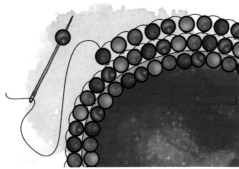

5 Enfile una rocalla tamaño 8/0, pase la aguja por debajo del hilo que une las dos últimas cuentas de la fila anterior y vuelva a pasarla por la rocalla que acaba de enfilar. Repita hasta completar la tercera hilera de rocalla con acabado metálico tamaño 8/0 que rodea al cabujón.

6 Lleve el hilo hacia atrás por las rocallas de la labor hasta llegar a la primera fila, y páselo por una rocalla. Enfile una rocalla tamaño 8/0 con acabado metálico, de un color similar al del elegido y vuelva a pasar el hilo por la misma rocalla de donde salió haciendo un bucle que sostenga la nueva rocalla por encima. Pase la aguja por cuatro rocallas de la primera fila, enfile otra rocalla del mismo tono y repita. Haga lo mismo para completar la fila, dejando tres rocallas de la primera fila libres cada vez y haciendo el bucle con la nueva rocalla en la número cuatro.

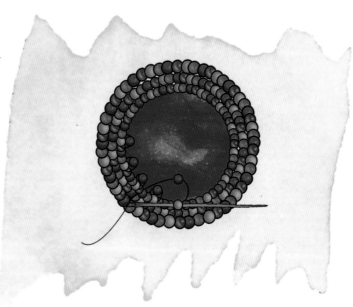

MUESTRAS DE ROCALLAS

  Rocalla tamaño 8/0 (3 mm) con acabado metálico.

 Rocalla tamaño 1/0 (6,5 mm) de color dorado metalizado.

 Rocalla tamaño 5/0 (5 mm) en distintos tonos con acabado AB.

 Rocalla hexagonal tamaño 8/0 (3 mm) en tono dorado metalizado.

 Rocalla hexagonal tamaño 8/0 (3 mm) en tono rosa metalizado.

       Rocalla hexagonal tamaño 6/0 (4 mm) en distintos tonos con acabado AB.

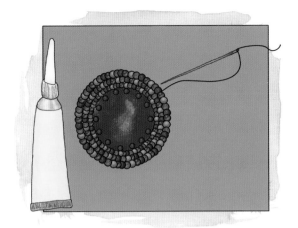

PREPARACIÓN DEL MEDALLÓN CACHEMIR

1 Ponga pegamento en la parte trasera de la base de cuero del cabujón y pégelo en el trozo grande de cuero a un dedo del borde. Enhebre la aguja y haga un nudo en el otro extremo del hilo. Cuando el pegamento seque, pase la aguja por la parte trasera del cuero, de modo que sobresalga a pocos milímetros de la última fila de rocalla que rodea al cabujón.

2 Enfile una rocalla tamaño 1/0 (6,5 mm) de color dorado metalizado y una rocalla tamaño 8/0 (3 mm) con acabado metálico (del mismo tono usado para rodear el cabujón), y vuelva a pasar el hilo por la primera rocalla y por la pieza de cuero, fijando las dos rocallas en su sitio, como en la imagen. La rocalla grande deberá tocar por un lado la última fila de rocalla del cabujón.

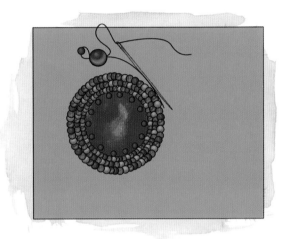

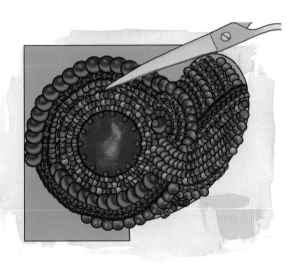

3 Vuelva a pasar la aguja por el cuero y enfile cuatro rocallas tamaño 8/0 de un color similar al del cabujón. Repita el paso 2 para rodear la cuenta dorada. Utilice la misma técnica para bordar abalorios en el cuero en distintas direcciones, como en el esquema. Para ayudarse, trace sobre el cuero las líneas antes de bordar cada nueva hilera de abalorios. Al terminar, recorte el trozo de cuero alrededor de las cuentas cuidando de no cortar los hilos.

4 Para rematar, enfile una rocalla tamaño 8/0 (3 mm) con acabado metálico, dé una puntada en el borde del cuero y vuelva a pasar el hilo por la rocalla. Repita hasta bordar cinco rocallas, y tras enfilar la quinta, pase la aguja por una rocalla tamaño 1/0 (6,5 mm) de color dorado metalizado y una rocalla 8/0 de un tono parecido al del cabujón. Enfile otra rocalla tamaño 8/0 con acabado metálico, dé una puntada en el borde del trozo de cuero y vuelva a pasar el hilo por la última rocalla. Borde abalorios hasta completar el contorno de la pieza, incluyendo cada cinco cuentas una rocalla tamaño 1/0 de color dorado y una rocalla tamaño 8/0. Al final, pase el hilo por la primera cuenta y otra vez por la última, y anude.

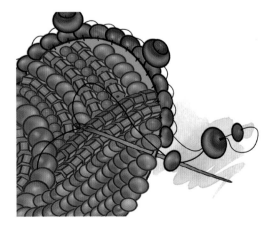

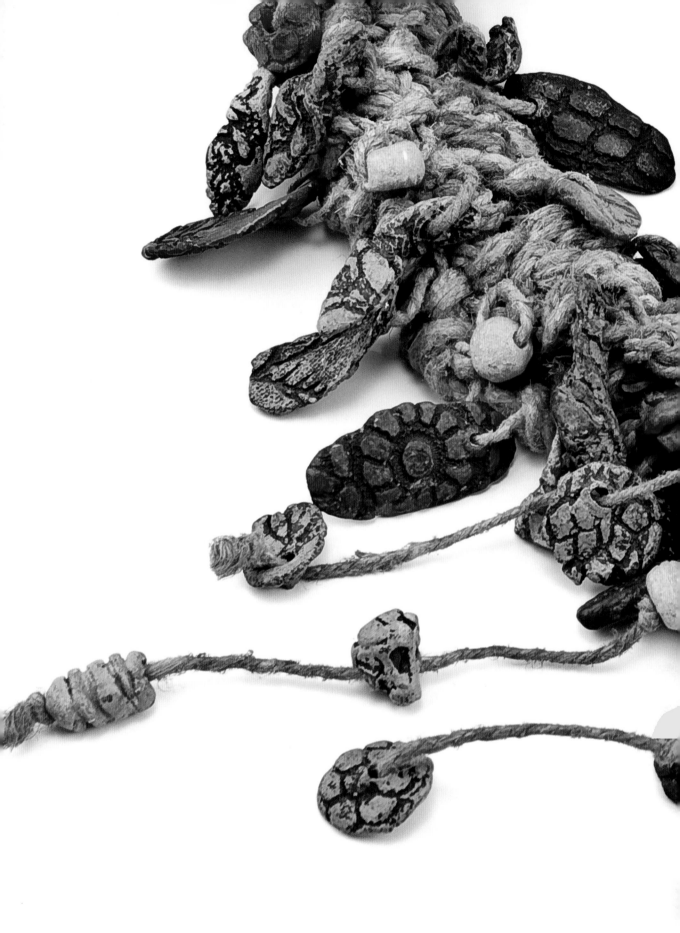

DISEÑO CON
técnicas de nudo

TRENZADO CON POLÍMEROS

■ ■ ■ ■ ■ ■

LOS ABALORIOS DE ARCILLA POLIMÉRICA SON PERFECTOS PARA TRABAJAR CON NUDOS, YA QUE APORTAN UN TOQUE PERSONAL Y MUY ORIGINAL A NUESTRAS PIEZAS. EN ESTE PROYECTO LOS COMBINAREMOS CON UN SENCILLO CORDÓN DE LINO, QUE INCORPORAREMOS AL DISEÑO DEL COLLAR REALIZANDO UN TRENZADO.

NECESITARÁ

Abalorios y forniras: • Arcilla polimérica de colores (blanca, roja, amarilla, verde y azul) • Algunas rocallas y canutillos variados (para combinar con la arcilla polimérica) • 13 cuentas de madera negras de 1 cm de ø • 9 cuentas blancas de madera de 6 mm de ø

Otro equipo: • Unos 4 m de cordón de lino monofilamento • Aguja • Un rotulador permanente de punta fina de color negro • Tijeras • Cinta adhesiva protectora (tipo pintor)

PREPARACIÓN DE LA ARCILLA

1 Reserve pellizquitos de arcilla de diferentes colores. Amáselos para calentarlos de forma que pueda moldearlos. Cree figuras geométricas de distintos colores. En el dibujo de arriba hay algunos ejemplos, pero puede crear sus propios diseños. Cuando termine, adórnelos con rocallas y canutillos. Es necesario hornear la arcilla, así que elija rocallas y canutillos de cristal u otro material resistente a la temperatura del horno.

Perfore los abalorios con una aguja y hornéelos según las instrucciones del fabricante. Cuando estén listos, espere a que se enfríen y decórelos con un rotulador permanente de punta fina.

2 Corte tres trozos de cordón de lino monofilamento de aproximadamente 1 m cada uno. Una los tres cordones y enfile el abalorio que hará de pieza central. Arrastre el abalorio por los cordones, hasta colocarlo en el medio.

Enfile a cada lado una cuenta negra de madera de 1 cm de diámetro. Siga enfilando abalorios, colocando otra cuenta de madera entre cada pieza de arcilla.

Puede seguir el orden que quiera, procurando colocar juntas las piezas de colores complementarios.

Haga un medio nudo a cada lado del collar detrás de la última cuenta de arcilla y enfile un par de cuentas de madera negra, una a cada lado.

PREPARACIÓN DEL TRENZADO Y CIERRE

Para este collar utilizaremos el «trenzado plano», una de las formas de trenzado más usadas por su sencillez y sutil valor decorativo. Este tipo de trenzado se deshace con facilidad, por lo que no hay que olvidar cerrar bien la trenza cuando haya terminado.

1 En uno de los lados del collar, separe ligeramente los tres hilos de lino y pase el cordón de la derecha por encima del central.

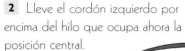

2 Lleve el cordón izquierdo por encima del hilo que ocupa ahora la posición central.

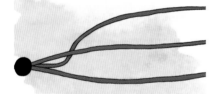

3 A partir de aquí repita el proceso: pase alternativamente las hebras a izquierda y derecha.

4 Trence hasta obtener el largo deseado, procurando que la trenza no quede demasiado apretada. Aunque la trenza sea algo irregular, conseguiremos dar a nuestro collar un aire más informal y divertido. Deje al menos 15 cm de cordón sin trenzar para crear el cierre. Ponga un poco de cinta adhesiva protectora y repita la operación al otro lado del collar.

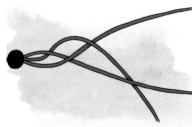

Cuando haya trenzado los dos extremos del collar, sujete la pieza donde hemos colocado la cinta adhesiva y compruebe que el collar tiene el tamaño adecuado. Retire la cinta protectora, junte las tres hebras de cada lado y haga un medio nudo lo bastante firme como para que el collar quede cerrado.

5 Inserte en tres de las hebras sobrantes dos cuentas de madera blanca de 6 mm de diámetro y haga un medio nudo bien apretado, dejando espacio para que las cuentas cuelguen. Haga lo mismo en las otras tres hebras de hilo. Ponga pegamento en los nudos para fijar y corte el hilo sobrante.

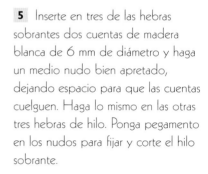

CRISTALES CON NUDO DE BOTÓN

■ ■ ■ ■ ■ ■

LOS CIERRES CON NUDOS DARÁN UN ENCANTADOR AIRE ARTESANAL A NUESTRAS PIEZAS CON ABALORIOS. ADEMÁS DE LOS NUDOS QUE CONOCEMOS, PUEDE UTILIZAR COMO CIERRE EL «NUDO DE BOTÓN», PARA EL CUAL CREAREMOS UNA SERIE DE BUCLES ENTRELAZADOS EN EL CORDÓN PARA CONSEGUIR UNA PEQUEÑA BOLA, CUYO TAMAÑO DEPENDERÁ DEL GROSOR DEL CORDÓN UTILIZADO.

NECESITARÁ

Abalorios y forniruras: • 12 cuentas redondas de cristal dicroico de 1 cm de ø de color rosa • 12 cuentas redondas de cristal dicroico de 1 cm de ø de color blanco • 12 cuentas redondas de cristal dicroico de 1 cm de ø de color azul • 12 cuentas redondas de cristal dicroico de 1 cm de ø de color verde • Aguja de enfilar (opcional) • Aguja

Otro equipo: • Unos 4 m de cordón de lino color negro • Tijeras • Pegamento

PREPARACIÓN DEL NUDO DE BOTÓN

1 Corte un trozo de lino de unos 180 cm y dóblelo por la mitad. Coloque el pulgar y el índice en el extremo del cordón donde se dobla el hilo, formando una presilla, como en la imagen.

2 Haga un bucle para formar una segunda presilla que quede por encima de la primera, de modo que se formen tres agujeros grandes, obteniendo una forma similar a la de un «pretzel».

3 Pase el cordón por encima del cable que queda a la derecha del «pretzel», por debajo del cable central derecho, por encima del cable central izquierdo, por debajo del cable izquierdo del «pretzel» y por encima del cable inicial, tirando del cordón ligeramente para formar una tercera presilla a la derecha del «pretzel».

4 Pase el hilo por el espacio central, llevando el extremo del cable por encima y debajo de las presillas, como en la imagen. Tire poco a poco de los dos extremos del cordón, cerrando lentamente el nudo. Conforme se cierre, una de las presillas quedará abierta; recoloque las presillas con cuidado, de modo que el nudo quede bien colocado en su lugar y las presillas se cierren de manera uniforme, hasta obtener la forma circular del botón.

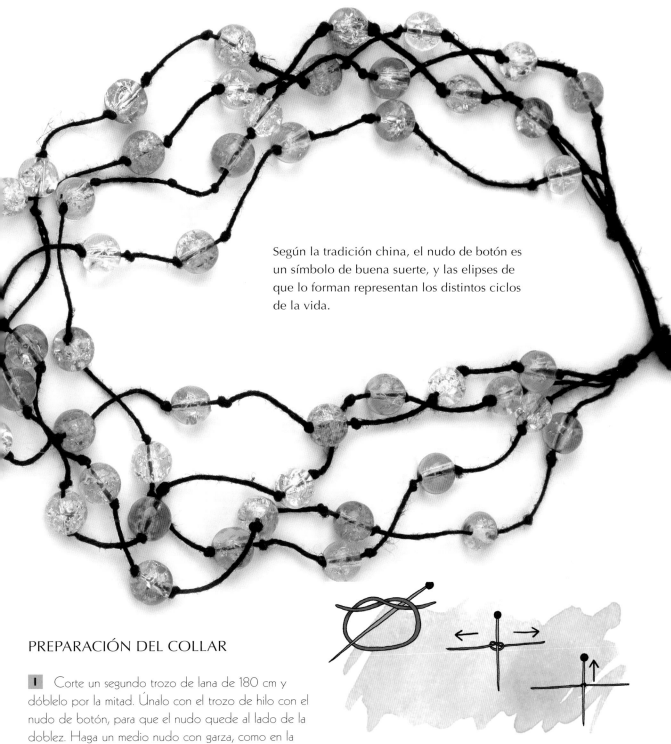

Según la tradición china, el nudo de botón es un símbolo de buena suerte, y las elipses de que lo forman representan los distintos ciclos de la vida.

PREPARACIÓN DEL COLLAR

1 Corte un segundo trozo de lana de 180 cm y dóblelo por la mitad. Únalo con el trozo de hilo con el nudo de botón, para que el nudo quede al lado de la doblez. Haga un medio nudo con garza, como en la imagen de la derecha, y corte con unas tijeras el extremo que sobra. Ponga pegamento transparente para asegurar la unión.

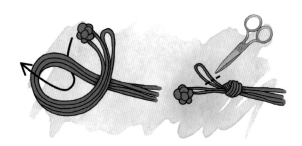

2 Haga un medio nudo en cada hebra del cordón. Pase una cuenta de cristal dicroico por cada hilo y haga un medio nudo detrás de cada cuenta. Utilice la aguja para colocar el nudo en su lugar. Haga otro medio nudo de la misma manera a distintas separaciones del primero. Enfile otra cuenta de cada color y repita. Siga añadiendo abalorios. Haga el último medio nudo a unos 10-15 cm del otro extremo del cordón. Una las cuatro hebras y haga otro medio nudo con garza. Corte y ponga pegamento transparente para fijar.

TRABAJOS CON HILO METÁLICO

■■■□□□

EL ALAMBRE DE PLATA DE CALIBRE FINO ES MUY MALEABLE Y TIENE LA VENTAJA DE PERMANECER EN LA POSICIÓN EN LA QUE SE LO MOLDEE. PARA CREAR ESTA ORIGINAL GARGANTILLA, HEMOS COMBINADO NUDOS Y TRENZADO SENCILLO EN ALAMBRE DE PLATA CON UNA HETEROGÉNEA COMPOSICIÓN DE ABALORIOS.

NECESITARÁ

Abalorios y fornituras: • Un abalorio grande de plata maciza con argolla • 2 abalorios cilíndricos de madera teñida en tono coral • 2 cuentas redondas de esponja de coral roja • 5 cuentas de turquesa con forma de moneda y perforación transversal • 6 cuentas redondas de turquesa de 8 mm de ø • Unas 22 facetadas de cristal con forma de rondel color rubí • Unas 20 facetadas de cristal con forma de rondel color cuarzo ahumado • 2 rombos de cristal facetado en tono coñac oscuro • Una chafa plateada

Otro equipo: • Alambre de plata de 1,5 mm de ø • Alicates de corte • Alicates de punta plana • Pegamento multiusos transparente

---

PREPARACIÓN DE LA GARGANTILLA

1 Corte con los alicates nueve trozos de alambre de plata de unos 90 cm cada uno. Una los cables y enfile por el conjunto el abalorio de plata maciza. Doble los cables por la mitad para que la argolla del abalorio quede en el centro.

Coloque una chafa sujetando los cables por encima de la argolla y fíjela con alicates. Ahora tenemos 18 cables de plata que salen de la chafa que sostiene al abalorio.

2 Aparte uno de los hilos de alambre, enfile un abalorio y dé un par de vueltas al grueso de cables para fijarlo. Repita hasta completar con abalorios unos 8 cm por encima de la bola de plata.

medio nudo más flojo el resto de cables. Enfile algunos abalorios en los hilos apartados. Retuerza un poco el alambre con los abalorios para lograr un resultado más orgánico.

4 Una todos los cables en un medio nudo grande que puede deshacer un poco para que no quede muy apretado. Separe las hebras en tres grupos de seis cables cada uno y realice unos 30 cm de trenzado «plano» no muy apretado. La idea es conseguir un efecto algo descuidado e informal.

3 Haga un medio nudo y separe un par de cables, anudando en otro

El hilo metálico de plata utilizado en esta original gargantilla se puede sustituir por hilo de alpaca o cuero de calibre similar, con un coste más asequible.

5 Cuando termine, separe los cables de fuera hacia dentro y moldéelos para que no estén muy rígidos. Deje unos seis cables en el centro sin separar y déles forma ligeramente con los dedos.

6 Para crear el entramado, enfile las cuentas de manera aleatoria, fijándolas a distintas alturas poniendo un poco de pegamento transparente en los agujeros de las cuentas. Complete otros 10-12 cm y remate con un medio nudo no muy apretado.

7 Junte los cables restantes y retuérzalos, creando una especie de cuerda de alambre. Haga otro medio nudo con los cables retorcidos a 1,5 cm del anterior, seguido de otro medio nudo doble. Retuerza los cables hasta que queden 15 cm para el final y haga otro medio nudo.

8 En uno de los cables enfile un rondel de cristal facetado en tono rubí, colocándolo en el centro del trozo de alambre. Doble el cable por la mitad y retuérzalo sobre sí mismo, fijando el rondel. Haga igual en cada una de las hebras de alambre restante, combinando facetadas en tonos rubí y cuarzo ahumado.

Enrolle los cables con las facetadas hacia arriba alrededor del último medio nudo creado en el punto 7, para que los abalorios queden a diferentes alturas y posiciones. La clave está en ser espontáneo y no muy cuidadoso, moldeando el alambre de forma que parezca que los abalorios están en movimiento.

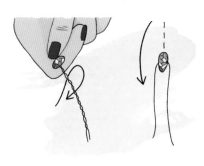

TRENZADO CON AIRE MARINERO

■ ■ ■ □ □ □

Con cordones trenzados de algodón o fibras naturales daremos a nuestras piezas de bisutería un divertido efecto marinero, convirtiéndolas en el complemento perfecto para lucir en verano. Hemos utilizado conchas marinas como abalorios, aportando un componente natural al conjunto.

PREPARACIÓN DEL COLLAR

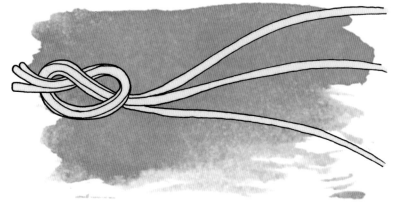

1 Corte tres trozos de cordón fino de algodón trenzado color crudo de unos 80 cm, y únalos haciendo un medio nudo en uno de los extremos. Ponga una gotita de pegamento transparente en el nudo para fijar.

2 Haga un trenzado plano con los tres cabos de cordón de unos 15-20 cm. Sosteniendo el trenzado con el dedo pulgar y el índice de la mano izquierda, introduzca en el extremo de cordón de la derecha una de las conchas marinas mirando hacia abajo.

Cruce los tres cabos del trenzado y vuelva a sostener los hilos con el dedo pulgar y el índice de la mano izquierda. Introduzca en el hilo de la izquierda otra concha marina y vuelva a cruzar los cabos. Repita hasta introducir 18 conchas a la izquierda y otras tantas a la derecha.

3 Cuando haya colocado todos los abalorios, siga trenzando unos 15-20 cm más y haga un medio nudo con garza para completar el collar. Para determinar el tamaño de la garza, mida el medio nudo que hicimos en el otro extremo del collar, que hará las veces de botón. Ponga una gotita de pegamento transparente para fijar y corte los hilos restantes.

Trenzado del cordón

Conchas marinas
de abalorios

Con la misma técnica aplicada en el
collar, podemos diseñar una pulsera a
juego. Pero, además del tamaño, hay
que tener en cuenta que el hilo debe ser
más delgado y los abalorios estar más
separados entre sí.

PENDIENTES A JUEGO CON EL COLLAR MARINERO

NECESITARÁ

Abalorios y fornituras: • 10 conchas marinas • Dos garfios de plata para pendientes
Otro equipo: • Cordón fino de algodón trenzado color crudo • Unos alicates de punta redonda
• Pegamento multiusos transparente

PREPARACIÓN DE LOS PENDIENTES

1 Corte tres trozos de cordón fino de algodón trenzado color crudo de unos 15-20 cm y únalos haciendo un medio nudo en uno de los extremos. Abra con los alicates la anilla de una de las bases de pendiente con garfio y colque el medio nudo dentro de la anilla. Ponga pegamento transparente en el nudo para fijar y cierre la anilla con los alicates.

Haga un trenzado plano con los tres cabos de cordón de 1,5 cm. Sostenga el trenzado con el dedo pulgar y el índice de la mano izquierda; introduzca en el extremo del cordón de la derecha una de las conchas marinas mirando hacia abajo, como hicimos con el collar.

3 Repita la operación con el segundo pendiente. Puede conseguir el mismo efecto marinero realizando todo tipo de combinaciones con trenzados y conchas. En el ejemplo de la página siguiente hemos unido dos trenzas de fibras naturales sobre las que hemos bordado una combinación de moluscos de todo tipo. Para colgar las de mayor tamaño, las hemos envuelto en un tranzado de macramé.

2 Cruce los tres cabos del trenzado y vuelva a sostener los hilos con el pulgar y el índice de la mano izquierda. Introduzca en el hilo de la izquierda otra concha marina y vuelva a cruzar los cabos. Repita para introducir una concha más a cada lado, cruce los hilos dos veces más e introduzca la última concha en el hilo central. Haga un medio nudo, ponga una gotita de pegamento transparente para fijar y corte los cables sobrantes.

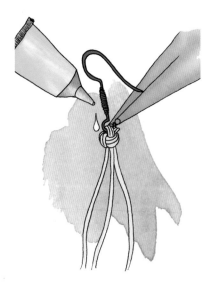

Para unir el trenzado de ambas partes, se ha practicado una abertura rematada con hilo de algodón y adornada con los mismos motivos marinos del broche central.

MOTIVOS MARINOS

Uno de los primeros abalorios de la humanidad, utilizados como símbolo de distinción de algunos pueblos, fueron las conchas y motivos marinos, siempre atractivos y originales por la variedad de tamaños, texturas y colores. Su uso se mantiene hasta hoy con plena vigencia, sobre todo en los complementos más atrevidos y juveniles.

Podemos aprovechar los paseos por la playa para hacernos con una colección de caracoles, conchas marinas y otros elementos imprescindibles a la hora de diseñar complementos veraniegos. Una vez recolectados, seleccionaremos los más originales, lavándolos con detergente neutro y un cepillo de dientes con sumo cuidado. A continuación, podemos aplicar una generosa capa de barniz incoloro para cubrir las pequeñas imperfecciones que tenga el caparazón.

PULSERA JAMAICANA

■ ■ ■ ▢ ▢

LOS CORDONES DE LINO SON MUY RESISTENTES Y GRACIAS A SU TEXTURA, SON EL CANDIDATO IDEAL PARA TRABAJAR CON HILOS, PUES EN ESTE MATERIAL LOS NUDOS SUELEN QUEDAR MUY BIEN FIJADOS. PARA REALIZAR ESTA COLORIDA PULSERA, COMBINAREMOS LINO EN TRES COLORES DIFERENTES Y USAREMOS UNA CONCHA MARINA COMO ADORNO CENTRAL.

PREPARACIÓN DE LA PULSERA

1 Corte tres trozos de hilo de lino de color amarillo de unos 70 cm de largo. Corte otros tres trozos iguales de color verde y otros tres rojos, y dóblelos por la mitad. En el arco donde se unen los cordones crearemos la argolla de cierre. Mida el tamaño del botón con el arco para asegurarse de que la presilla tiene tamaño suficiente y haga una señal.

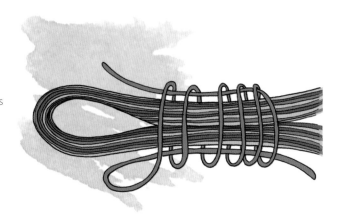

Corte otro trozo de hilo color verde y enróllelo con un medio nudo de sangre, como en la imagen. Tire de los cabos para ajustar el nudo. Ponga un poco de pegamento para fijar.

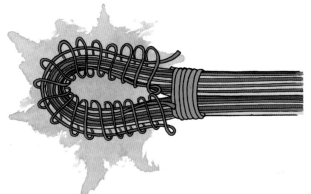

2 Corte otro fragmento de hilo de lino verde y envuélvalo de la misma manera alrededor de la presilla. Anude los extremos al sobrante y ponga pegamento para fijar.

3 Separe un hilo de cada color y anúdelos con un medio nudo a unos 5 cm de la presilla. Enfile una rocalla blanca tamaño 1/1 en el hilo amarillo y otra en el hilo verde. Junte los tres cables y páselos por una de las cuentas de madera. Vuelva a separar los cables y enfile en el cable amarillo una rocalla turquesa, una amarilla y una roja.

Haga lo mismo en el cable rojo, dejando el verde libre, y vuelva a unir los cables anudándolos con un medio nudo. Pase la concha por los tres cables, haga un medio nudo y repita la serie a la inversa. Después de las cuentas blancas haga otro medio nudo. Pruébese la pulsera para determinar el largo, marcándolo con un bolígrafo borrable, y repita el paso 2.

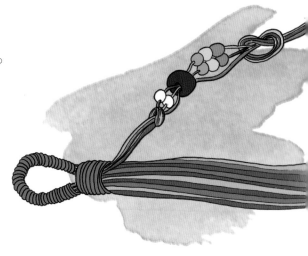

Otra manera muy sencilla de crear pulseras con cordones es usando la técnica del nudo de macramé. Puede introducir abalorios para conseguir un acabado más llamativo.

NECESITARÁ

Abalorios y fornituras:

- 4 rocallas blancas tamaño 1/0 (6,5 mm) • 4 rocallas turquesa tamaño 1/0 (6,5 mm)
- 4 rocallas rojas tamaño 1/0 (6,5 mm) • 4 rocallas amarillas tamaño 1/0 (6,5 mm)
- Una concha marina
- 2 cuentas de madera marrones de 1 cm de ø

Otro equipo:
- Cordón fino de lino de color amarillo
- Cordón fino de lino de color verde • Cordón fino de lino de color rojo • Un botón negro con dos agujeros
- Pegamento transparente multiusos • Bolígrafo borrable para marcar

4 Haga dos trenzas simples de tres hilos cada una de aproximadamente 2 cm y corte los hilos restantes, con cuidado de no cortar el hilo verde de unión.

Introduzca por cada agujero del botón los tres hilos de cada trenza y únalos con un medio nudo, de manera que el botón quede bien sujeto. Ponga una gotita de pegamento transparente para fijar.

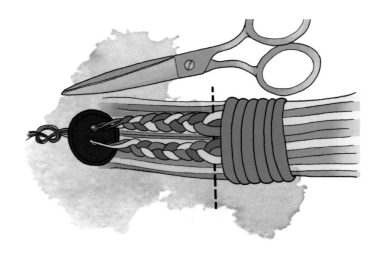

COLLAR RECICLADO

■ ■ ■ ■ ■

CON ESTA ORIGINAL TÉCNICA DE NUDOS EN TELA PODRÁ USAR COMO ABALORIO CUALQUIER OBJETO REDONDO, SIN NECESIDAD DE QUE ESTÉ PERFORADO. PUEDE UTILIZAR TODO TIPO DE TELAS EN ESTE PROYECTO, DESDE UNA CAMISETA VIEJA HASTA DELICADAS SEDAS ESTAMPADAS.

NECESITARÁ

Abalorios y fornituras:
- 9 cuentas grandes (de unos 2-3 cm de ø)

Otro equipo:
- Un fragmento de tela vieja de al menos 1 m x 15 cm • Aguja de costura • Hilo de algodón del mismo color que la tela • (Opcional) Máquina de coser • Bolígrafo borrable para tela, o en su defecto, una pastilla de jabón blanca • Regla • Un imperdible grande • Un alfiler con cabeza de bola

Recuerde que si utiliza una tela transparente, como la organza o la muselina, el abalorio utilizado quedará a la vista, por lo que si va a usar objetos reciclados, siempre es mejor que sea con un tejido opaco.

PREPARACIÓN DEL COLLAR

1 Doble la tela por la mitad en sentido vertical y coloque una de las cuentas junto al extremo donde está el doblez. Con un bolígrafo borrable o una pastilla de jabón blanca, marque el tamaño de la pieza, dejando 3 o 4 mm extra a cada lado.

2 Marque esa misma medida con una regla a lo largo del trozo de tela y cósalo. Utilice una máquina de coser para que el resultado sea más uniforme.

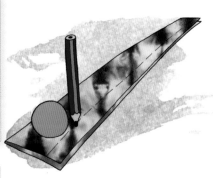

3 Cosa uno de los extremos de la tela en sentido transversal, remate y déle la vuelta al tubo de tela con ayuda de un imperdible.

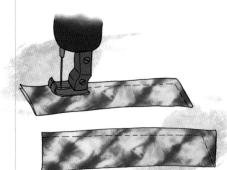

4 Haga un medio nudo a unos 30-35 cm del extremo de tela que está cerrado. Introduzca un abalorio y llévelo por el tubo de tejido hasta tocar el nudo.

Haga otro medio nudo y, con ayuda del alfiler, deslícelo por el tejido hasta colocarlo junto a la bola. Repita la operación hasta haber introducido todos los abalorios.

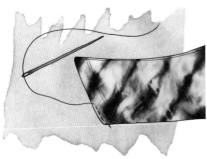

5 Haga un medio nudo, colocándolo con la aguja justo detrás del último abalorio. Doble el collar por la mitad y marque el largo, dejando 1 cm extra. Introduzca el sobrante por dentro del tubo de tela y cósalo.

TÉCNICAS PERSONALIZADAS

Si trabaja con telas translúcidas utilice colores que combinen con el de su tejido, incorporándolos así al diseño de la pieza. Esta técnica ofrece infinitas posibilidades creativas. Pruebe a teñir usted mismo la tela utilizada para conseguir una pieza única y 100% personal. A la hora de dar forma a nuestras telas y convertirlas en abalorios, podemos basarnos en las técnicas explicadas en el apartado correspondiente de forrar abalorios y anillas, en las páginas 64 y 65 de este libro.

COLLAR DE ÁMBAR

■ ■ ■ ▦ ▦ ▦

Tanto en los collares de perlas como en los fabricados con piedras preciosas o semipreciosas se suelen realizar nudos entre los abalorios, para evitar el roce. La técnica básica para enfilar es muy sencilla, por lo que conociéndola podrá llevar sus creaciones al siguiente nivel.

Necesitará

Abalorios y fornituras: • Unas 50 cuentas perforadas de la piedra elegida (para el ejemplo hemos utilizado dos tamaños distintos de ámbar) • Una aguja fina de enfilar • Un cierre para collar a rosca de plástico transparente de color miel o ámbar

Otro equipo: • Aproximadamente 2 m de hilo de enfilar de seda doble, del mismo color que las cuentas con las que estemos trabajando • Tijeras • Pegamento especial para joyería

---

PREPARACIÓN DEL COLLAR

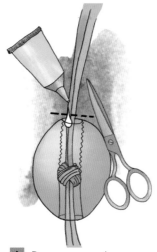

1 Desenrosque el cierre e introduzca uno de los extremos del hilo doble de seda en una de las mitades del cierre. Tradicionalmente se utiliza hilo doble de seda; si no encuentra hilo doble, introduzca dos hebras de hilo atadas. Haga dos o tres nudos y apriételos bien para que queden fijos dentro de la cuenta. Ponga una gotita de pegamento para fijar. Si los nudos quedan demasiado

arriba, utilice unas pinzas de depilar para empujarlos hacia la parte inferior del abalorio de cierre. Otra de las ventajas de este tipo de cierre es que oculta muy bien los nudos en su interior.

2 Si utiliza un cierre metálico, deberá hacer un nudo entre el cierre y la primera cuenta, para evitar que estas se rayen. Al utilizar un cierre de plástico evitamos este riesgo, por lo que este paso no será necesario,

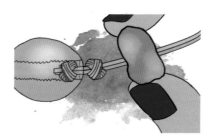

aunque podemos realizarlo igualmente para asegurar mejor el cierre.

3 Enfile las cuentas, haciendo un medio nudo entre cada pieza. Puede mover el nudo por el hilo con ayuda de una aguja, asegurándose de que los nudos queden bien seguros en su sitio, fijando la pieza en su lugar. En este caso hemos combinado dos tipos distintos de abalorios de ámbar, combinando «chips» en un tono claro con piedras oscuras más grandes.

Para combinar mejor con el ámbar utilizado en el collar, hemos elegido un cierre a rosca de plástico, en un tono parecido al de las piezas de ámbar, de manera que quede disimulado entre los abalorios. Este tipo de cierres son muy aparentes y sencillos de utilizar, además de ser ideales para piezas de bisutería infantil.

4 Apriete bien los nudos contra las piedras empujando las cuentas con el dedo. También puede usar unas pinzas de depilar para esto. Al terminar, separe bien los dos extremos de hilo, apretando el nudo contra la cuenta todo lo que pueda.

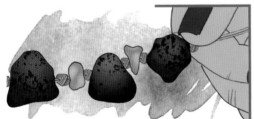

hilo sobrante. Ponga una gotita de pegamento para fijar los nudos. Si es necesario, utilice las pinzas para empujar los nudos bien dentro del cierre. Coloque el tornillo del cierre y cierre el collar.

5 Introduzca los hilos en la otra mitad del cierre y arrástrelo de manera que quede lo más cerca posible de la última cuenta enfilada. Si va a utilizar un cierre de algún material que pueda estropear la cuenta, deberá hacer antes otro medio nudo. Haga dos nudos, introduciéndolos dentro del cierre, y corte el

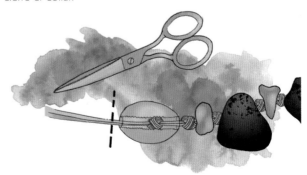

BROCHE DE LIBÉLULAS Y COMPLEMENTOS

CONOCER LOS NUDOS BÁSICOS ES UNA FORMA SENCILLA Y DIVERTIDA DE CREAR PIEZAS CON ABALORIOS EN MUY POCO TIEMPO. A CONTINUACIÓN VEREMOS LA MANERA DE FABRICAR UN SIMPÁTICO BROCHE DE FIMO CON FORMA DE LIBÉLULA, UN BROCHE O UNA PULSERA, PERFECTOS PARA UNA TARDE DE MANUALIDADES.

NECESITARÁ

Cuentas y fornituras: • Arcilla polimérica de colores (negra, roja y azul) • Algunas rocallas y canutillos variados (para combinar con la arcilla polimérica)

Otro equipo: • Unos 4 m de cordón de lino monofilamento color negro • Aguja • Un rotulador permanente de punta fina de color negro • Tijeras • Un prendedor para broches

PREPARACIÓN DEL BROCHE DE LIBÉLULAS

I Para hacer el cuerpo de las libélulas, amase un poco de arcilla polimérica negra formando un rulo de unos 8 cm de largo y 1 cm de diámetro, y córtelo por la mitad. Redondee un poco los extremos y perfórelos de manera vertical. Amase un rulo de 15 cm del mismo diámetro de arcilla roja y otro azul. Corte cada rulo en cuatro trozos y aplaste con el dedo uno de los extremos, formando una lágrima. Una el cuerpo de la mariposa con las alas.

Decore las alas con bolitas de arcilla de colores e incluya algunas rocallas y canutillos. Es necesario hornear la arcilla polimérica, así que elija para los adornos rocallas y canutillos de cristal u otro material resistentes a la temperatura del horno.

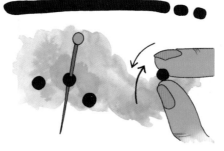

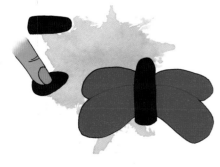

2 Amase un rulo de arcilla de color negro de unos 8 mm de diámetro. Córtelo en 12 secciones y amase cada fragmento hasta conseguir ocho bolitas. Perfore las bolitas y hornéelas con las libélulas siguiendo las instrucciones del fabricante.

3 Cuando se enfríen las cuentas, introduzca un trozo de hilo de lino monofilamento de unos 15 cm a través del cuerpo de la libélula. Enfile una de las cuentas de arcilla negras en la parte superior y haga un medio nudo. Ponga una gotita de pegamento para fijar. Enfile en la parte inferior cinco abalorios y anude de la misma manera. Corte con las tijeras el hilo restante. Decore las alas con el rotulador y pegue el prendedor del broche en la parte trasera de la libélula.

El aspecto de la arcilla polimérica o fimo recuerda a la plastilina, pero es más versátil. Antes de trabajar con ella, hay que leer las instrucciones del fabricante sobre su uso y temperatura de cocción.

PREPARACIÓN DEL BROCHE DE FLOR

Este broche con forma de flor se ha realizado con la misma técnica que las libélulas, pero en este caso hemos utilizado una flor y hojas verdes.

PREPARACIÓN DE LA PULSERA

Esta pulsera se ha realizado con la misma técnica que las libélulas, pero en este caso hemos utilizado formas geométricas, con anillas entre cada una de ellas, para rellenar el ancho de la misma.

El soporte metálico del broche de la flor de arcilla polímérica es del tamaño del diámetro del motivo y va firmemente cosido al fieltro para asegurar una correcta fijación del fimo con el alfiler, lo que nos permitirá prenderlo sobre cualquier tipo de tejido sin dañarlo.

MARCAPÁGINAS SINGULAR

CON ARCILLA POLIMÉRICA PODEMOS HACER TODO TIPO DE COMPLEMENTOS: MARCAPÁGINAS, SUJETAPELOS O LLAVEROS MUY DIVERTIDOS Y ORIGINALES, PERFECTOS PARA PEQUEÑOS DETALLES DE CUMPLEAÑOS.

NECESITARÁ

Abalorios y fornituras: •Arcilla polimérica de colores (blanca, roja, amarilla, verde y azul) • Algunas rocallas y canutillos variados (para combinar con la arcilla polimérica)

Otro equipo: • Unos 4 m de cordón de lino monofilamento color negro • Aguja • Un rotulador permanente de punta fina de color negro • Tijeras • Cinta adhesiva protectora (tipo pintor)

PREPARACIÓN DEL MARCAPÁGINAS

1 Cree seis bolitas negras de arcilla polimérica de unos 8 mm de diámetro. Haga una bola de arcilla de 1 cm de diámetro y otra azul de 1,5 cm. Amase un rectángulo pequeño de color naranja y un cuadrado azul, y adórnelos con rocallas.

Perfore los abalorios con una aguja, haciendo un agujero lo bastante grande como para que se pueda introducir en el cordón de ante/cuero. Hornéelos, espere a que se enfríen y decore los rectángulos y la cuenta azul grande con un rotulador permanente.

2 Haga un medio nudo en uno de los extremos del cordón, e introduzca una de las cuentas negras de arcilla polimérica. Coloque una gotita de pegamento dentro de la cuenta.

Introduzca el resto de los abalorios, alternándolos con cuentas negras, y deje unos 30 cm libres de cordón. Introduzca la última cuenta negra y haga un nudo, cortando el cordón sobrante.

Coloque la última cuenta junto al nudo final y ponga una gotita de pegamento dentro para que quede fija en su lugar. La idea es que las dos cuentas negras de los extremos queden fijas junto a los nudos, mientras que el resto de abalorios pueda moverse libremente a lo largo del cordón.

Bajo estas líneas la selección de muestras de arcilla polimérica creadas para el marcapáginas:

 Arcilla polimérica cuadrada

 Arcilla polimérica redonda

 Arcilla polimérica redonda labrada

 Arcilla polimérica rectangular

Distintas formas, colores y motivos incrustados en cada pieza de fimo son la base de estos originales marcapáginas. Por su fácil ejecución, permite infinidad de combinaciones hasta conseguir el efecto deseado.

El hilo de cuero se puede sustituir por trenzados similares a los planteados en el apartado de los nudos si se busca un diseño mas barroco. La rapidez y facilidad para moldear que posee la arcilla polimérica nos permite más libertad con el resto de los elementos del diseño.

PREPARACIÓN DEL SUJETAPELO

Para realizar este precioso palo para moños, hemos perforado un bastoncillo de madera, por el cual hemos introducido un fragmento de hilo de lino negro en el que se han colocado diversos abalorios separados con nudos.

PREPARACIÓN DEL LLAVERO

Este sencillo y divertido llavero lleva varias hebras de hilo de lino trenzado, que van unidas a la anilla del llavero con un nudo de alondra. A continuación, hemos combinado abalorios de madera y plata con piedras y conchas marinas.

COLLAR NEGRO Y GROSELLA

■ ■ ■ ■ ■

ESTE ORIGINAL COLLAR CON CUENTAS DE MADERA Y ARCILLA POLIMÉRICA IMITA LOS LLAMATIVOS FRUTOS DEL ACEBO. COMBINAREMOS TÉCNICAS BÁSICAS DE TEJIDO CON ABALORIOS, REALIZANDO NUDOS QUE SEPAREN LOS GRUPOS DE CUENTAS EN LUGAR DE CRUZARLOS, SIMULANDO EL ASPECTO DE PEQUEÑOS RACIMOS DE GROSELLAS.

NECESITARÁ

Abalorios y fornituras: • 41 cuentas de madera lacada de color rojo, de 8 mm de ø • 4 cuentas negras de arcilla polimérica de 2 cm de ø, con filamentos blancos

Otro equipo: • 2 cordones finos de algodón trenzado de color negro • Tijeras • Pegamento multiusos transparente • Una aguja de costura • Cinta adhesiva protectora

---

PREPARACIÓN DEL COLLAR

1 Corte dos trozos de cordón negro de algodón de 1 m cada uno, dóblelos por la mitad, y únalos con un medio nudo.

Si el nudo es más pequeño que el agujero de los abalorios que va a utilizar, haga un nudo doble.

2 Inserte por los dos hilos de cada extremo, dos cuentas rojas de madera lacada, y haga un medio nudo para

unir los cuatro cabos del cordón. Utilice una aguja de costura para deslizar el nudo por el cordón, colocándolo firmemente contra los abalorios que acabamos de enfilar, para que estos queden colocados de forma circular.

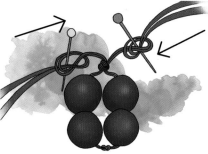

3 Separe los hilos en dos grupos y haga un medio nudo a cada lado para comenzar a hacer los pequeños «racimos» de abalorios que adornan los dos lados del collar. Aparte los dos hilos de la izquierda para trabajar con ellos más tarde.

Este proyecto es perfecto para crear decoraciones navideñas; simplemente, sustituya las cuentas negras por hojas de acebo de arcilla. Para crear las bolas de arcilla, hemos colocado filamentos muy finos de arcilla blanca sobre las cuentas negras.

4 En uno de los cabos de la derecha, enfile una cuenta de madera roja y en el otro ponga dos cuentas rojas del mismo tamaño que la anterior. Haga un medio nudo sujetando las cuentas bien juntas, logrando el conjunto básico de tres abalorios que forman los «racimos».

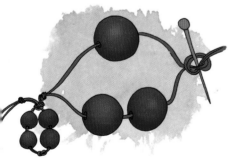

5 Enfile en uno de los hilos una cuenta negra y, dejando libre el otro hilo, haga un medio nudo para unir los cabos, fijando bien la cuenta en su sitio.

Repita el paso 4 dos veces más, creando dos conjuntos de tres abalorios en cada uno. Coloque los abalorios de manera alternativa; cambie el orden en el segundo conjunto, colocando uno arriba y dos abajo. Repita el paso 5 para colocar otra bola negra de arcilla y cree los tres últimos «racimos» repitiendo tres veces el paso 5. Tras el último medio nudo, enfile una última cuenta roja y ponga cinta adhesiva protectora para que no se suelte.

Repita para realizar el otro lado del collar con los hilos que apartamos antes.

6 Pase los hilos por la cuenta que dejamos suelta al otro lado. Una los dos cabos colocando cinta adhesiva protectora en el extremo. Sujete la cuenta de madera con el pulgar y el índice, sosteniendo firmemente los dos cabos ya enfilados, creando el máximo espacio para colocar el otro extremo envuelto en cinta adhesiva.

Para terminar, haga un medio nudo doble poniendo una gotita de pegamento para fijarlo, y corte el sobrante con unas tijeras.

TÉRMINOS usuales

Aguja de enfilado: suelen ser algo más finas que las agujas normales, con un ojo más pequeño, permitiendo así que entren mejor por el agujero de las cuentas.

Alambre: hay hilos de alambre de distintas consistencias, con mayor o menor grado de flexibilidad, que ofrecen múltiples posibilidades para el trabajo con abalorios.

Alicate

De chafar: este tipo de alicates están diseñados especialmente para cerrar chafas.

De corte: las pinzas de estos alicates llevan un filo cortante, apto para acortar alambres y cables.

De punta plana: con pinzas redondeadas y planas en el centro, ideales para hacer dobleces, cerrar anillas y chafas y sujetar cualquier pieza.

De punta redonda: con pinzas completamente cilíndricas, se usan siempre para crear anillas.

Arcilla polimérica: material procedente del plástico, que puede moldearse como la arcilla y una vez horneado adquiere una consistencia sólida. La arcilla polimérica es perfecta para realizar en casa nuestros propios abalorios, ofreciéndonos infinitas posibilidades creativas.

Aretes y anillas: tanto los aretes cerrados como las anillas de unión (con una muesca que permite su apertura) son elementos imprescindibles en bisutería gracias a su gran versatilidad.

Bandejas para enfilar: este tipo de bandeja presenta diferentes surcos para colocar los abalorios, y son muy indicadas para experimentar con diferentes diseños. Llevan un acabado de terciopelo u otro material que evita que las cuentas rueden.

Barras espaciadoras: se utilizan para separar los hilos con las sartas de abalorios en los collares multihebras.

Bases para anillos: anillos especiales que presentan una base para decorar; puede ser una base plana para pegar cualquier adorno o una perforada en la que se pueden bordar abalorios.

Bases para pendientes

Con clip: este tipo de base sirve para personas que no tienen las orejas perforadas, además de ser muy indicada para niños.

Con tuerca: consisten en un pequeño tornillo con una anilla u otro tipo de base en la que se colocan los abalorios.

Garfios: uno de los más usados, el garfio permite que los abalorios cuelguen de la base de la oreja.

Bastoncillos: piezas metálicas que sirven para colocar abalorios. Una vez cerrados se debe crear una anilla con los alicates en la parte superior del bastoncillo, de manera que se puedan colgar.

Cabeza de alfiler: tienen como tope un pequeño cilindro plano, igual que el de los alfileres de costura. Suele ser algo fino, por lo que en ocasiones conviene colocar una cuenta de tope (como por ejemplo una rocalla) para evitar que el abalorio principal se suelte.

Cabeza de anilla: tienen como tope una anilla, lo que permite que puedan unirse por ambos lados a otra pieza.

Cabeza de bola: tienen como tope una forma esférica, por lo que suelen resultar más indicadas para abalorios con una perforación más grande.

Bordado de abalorios: para bordar abalorios en tejidos u otros materiales, simplemente dé una puntada en la superficie elegida, realizando un nudo en el otro extremo del hilo, y añada entre uno y tres abalorios. Vuelva hacia atrás con la aguja, pasando una vez más el hilo por el/los abalorios, y repita la operación.

Caja de abalorios: es muy recomendable tener una caja bien organizada para colocar los distintos abalorios y cuentas, además de los materiales necesarios para trabajar con ellos. Conviene tener distintos compartimentos para colocar cada pieza.

Capuchones y casquetes para cuentas: piezas con forma de dedal que sirven tanto para esconder nudos como para decorar cuentas o cierres para collares.

Cerámica: las cuentas de cerámica suelen ir lacadas y decoradas, lo que permite posibilidades de diseño casi infinitas.

Chafas: pequeñas piezas con forma de abalorio, normalmente metálicas, que pueden cerrarse con unos alicates y sirven para fijar el hilo, unir varias hebras, colocar abalorios en su lugar, etc.

Cierres

A tornillo: al igual que los cierres en clip suelen ir camuflados dentro de un abalorio, lo que permite integrarlos en el diseño.

Con clip: suelen ir integrados al diseño de la pieza, de forma que muchos de estos cierres van camuflados dentro de un abalorio.

Con gancho: es una pieza con forma de garfio unida a una anilla cerrada.

En T: consiste en una anilla cerrada y una barra colocada de manera horizontal, que funciona como tope al introducirse dentro de la anilla.

Mosquetón: pieza con forma de anilla o similar, que presenta un mecanismo mediante el cual la presilla puede abrirse y cerrarse, quedando unido a una anilla cerrada.

Cinta métrica: si no disponemos de una bandeja para abalorios podemos utilizar una cinta métrica o una regla para realizar la colocación de los abalorios.

Conchas y abalorios marinos: pueden llevar perforaciones en diferentes posiciones, logrando distintos efectos en el diseño.

Cordones

Algodón: normalmente el cordón de algodón viene trenzado y es algo más grueso que el de otros materiales, pero puede resultar muy atractivo una vez integrado en el diseño de la pieza.

Cuero: el cuero se ha usado en bisutería desde tiempos inmemoriales y suele integrarse en el diseño de la pieza.

Lino: el cordón de lino, ya sea trenzado o en una sola fibra, es perfecto para todo tipo de proyecto con nudos, ya que es muy resistente y los nudos realizados en lino se quedarán fijos en su lugar.

Seda: al igual que el hilo de seda, los cordones de seda son muy resistentes, con el añadido del toque de elegancia que aportan a la pieza. Algunos materiales sintéticos imitan el brillo y el aspecto de los cordones de seda a un precio más asequible, como por ejemplo la cola de ratón.

Cristal: el cristal es el material para elaborar abalorios por excelencia, y existe una gran variedad de fabricantes, acabados y estilos.

Checo: es una opción más económica al cristal de Swarovski, con una calidad similar.

Con recubrimiento metálico: llevan en su interior un recubrimiento metálico, por ejemplo las cuentas tipo Pandora.

De Murano: fabricado con una técnica especial de soplado de vidrio, procedente de la isla italiana de Murano.

De Swarovski: la firma austríaca fabrica un tipo de cristal que se caracteriza por su brillo y su gran calidad.

Enfilado

Con círculos: dejando más cuentas a los lados que cuando cruzamos los hilos obtendremos figuras de forma circular en la escalera.

Con cuadrados: enfilando el mismo número de cuentas a los lados que al cruzar los hilos, obtendremos una escalera con secciones cuadradas.

Con flores: al igual que en el enfilado con triángulos, para obtener las flores tendremos que volver a llevar la hebra hacia atrás, combinando cuentas de diferentes colores para imitar el aspecto de una flor.

Con formas: dependiendo de la forma en que pasemos el hilo por los abalorios, podemos crear distintas formas en el enfilado.

Con triángulos: la escalera triangular se va creando pieza a pieza, volviendo a pasar los hilos por las rocallas ya enfiladas para obtener la forma triangular de todas sus partes.

Cruzado con escalera: para realizar este tipo de enfilado, debe cruzar los hilos periódicamente en una nueva cuenta, logrando así un efecto de ochos o escalera, muy usado como base de varias puntadas para tejer con abalorios.

Múltiple: unión de varias sartas de abalorios realizadas con enfilado simple.

Simple: colocación de abalorios en un hilo, cable, cordón o alambre.

Engarzado: trabajo de abalorios en metal, ya sea a través de bastoncillos, alambres o cualquier otro tipo de material metálico. Los distintos tipos de alicates serán el mejor aliado para realizar labores de engarzado.

Esmalte transparente: puede usarse de la misma manera que el pegamento, especialmente indicado para fijar nudos.

Espiral protectora o «french wire»: Hilo metálico con forma de espiral que se usa para proteger hilos de menor consistencia, especialmente en las uniones y en el cierre.

Formas de pasar el hilo por un abalorio: existen distintas maneras de enfilar un nuevo abalorio en el hilo:

Cruzar hilos: en los casos en que enfilemos con dos hebras diferentes, podremos cruzar hilos pasando cada una de las hebras por un extremo del nuevo abalorio enfilado.

En círculo: debe llevar el hilo hacia atrás, volviéndolo a pasar por el abalorio indicado.

Pasar el hilo: la más común, simplemente debe pasar el hilo a través del abalorio indicado.

Hilos de enfilado

De nailon: o hilo de pescador, es muy resistente, aunque puede resultar demasiado rígido para algunos trabajos. Los nudos en hilo de nailon deben ir fijados con pegamento, ya que tienden a deshacerse.

Elásticos: los hilos elásticos son muy cómodos, especialmente en piezas de bisutería infantil.

Encerado: el hilo de seda encerado es uno de los más usados para enfilar, ya que es muy resistente y versátil.

Mono-filamento: hay una gran variedad de hilos mono-filamento, que resultan muy indicados para trabajos de enfilado. Uno de los más usados con abalorios es el hilo de Nymo.

Huesos y cuernos: conviene informarse de su origen con anterioridad, y evitar el uso de cuentas procedentes de animales en peligro de extinción.

Madera, cuentas: la calidad y ligereza de los abalorios de madera la hacen muy indicada para su uso en bisutería, aportando además un interesante aire étnico.

Metal: ya sean de metales preciosos como el oro o la plata o de otros metales base como el cobre, el latón o el aluminio, los abalorios metálicos son muy bellos y perfectos para complementar cualquier diseño.

Nudos

Corredizos: este tipo de nudos pueden deslizarse a lo largo del cabo, y son perfectos para realizar cierres de pulseras o collares. Los principales tipos de nudo corredizo son el corredizo simple y el nudo de pescador doble. Para aprender a realizar estos nudos, consulte la página 50.

De tope: deben realizarse en el extremo del cabo, evitando así que el abalorio se escape. Los principales tipos de nudos de tope son: el nudo simple o medio nudo, el medio nudo múltiple y el nudo en ocho. Para aprender a realizar estos nudos, consulte la página 50.

De unión: sirven para unir dos (o más) cabos diferentes. Los principales tipos de nudos de unión son: el nudo de rizo o cuadrado, el nudo de cirujano y el nudo de Carrick o carraca. Para aprender a realizar estos nudos, consulte la página 50.

Nudos complejos

De alondra: sirve para colgar un cabo de una anilla u otro objeto.

Medio nudo de macramé: este atractivo nudo es muy decorativo, y está especialmente indicado para pulseras. Para aprender a realizar estos nudos, consulte la página 50.

Pegamento: el pegamento multiusos transparente es muy práctico en bisutería, ya sea para pegar abalorios, nudos o cierres. Existe un pegamento especial de joyería para piedras preciosas o metales.

Perlas: tanto las perlas cultivadas como las naturales se han usado como abalorios desde la antigüedad. También podemos encontrar cuentas muy interesantes realizadas en madreperla.

Piedras semipreciosas: ya sean de origen mineral (como el cuarzo, amatista o esmeralda) u orgánica (como el ámbar o el azabache), las piedras semipreciosas aportarán un toque distinguido a nuestras piezas de bisutería.

Puntadas básicas: existen una serie de puntadas básicas que nos permitirán crear tejidos con abalorios de manera fácil y divertida.

Cuadrada: en la puntada cuadrada los abalorios quedan colocados de manera regular, del mismo modo que los espacios de una cuadrí-

cula. Puede consultar la técnica de esta puntada en la página 45.

Ladrillo: también conocida como comanche, con la puntada ladrillo los abalorios quedan colocados como los ladrillos de una pared, de ahí su nombre. Puede consultar la técnica de esta puntada en la página 45.

Peyote: de aspecto similar a la puntada ladrillo, en la puntada peyote iremos enfilando los abalorios de manera habitual, volviendo a pasar el hilo por las cuentas ya enfiladas para crear las hileras sucesivas. Puede consultar el paso a paso de la técnica de esta puntada en la página 46.

Rocalla: abalorios de pequeño tamaño, generalmente con forma circular, muy versátiles y prácticos. Los hay de muchos materiales distintos, aunque los de mayor calidad son de cristal. La rocalla japonesa destaca por su regularidad.

AB: las siglas AB quieren decir «aurora boreal», que es un tipo especial de acabado de abalorios con un característico brillo tornasolado.

Opaca: tonos que no dejan pasar la luz. Hay rocalla opaca de todos los colores imaginables, y puede presentar acabados diferentes.

Plateada: con acabado plateado o metalizado. También se puede encontrar rocalla realizada en metal.

Translúcida: permite pasar algo de luz, pero de manera difusa.

Transparente: permite el paso de luz, logrando un efecto cristalino. Disponible en multitud de colores.

Semillas y cuentas naturales: conviene informarse de su procedencia con anterioridad, y evitar el uso de plantas en peligro de extinción.

Soportes para alfileres o broches: al igual que las bases para anillos, los soportes para alfileres o broches pueden ser de muchos tipos diferentes, con un alfiler con prendedor en la parte trasera.

Tapanudos: similares a los capuchones para cuentas, los tapanudos se utilizan en collares multihebras para ocultar las uniones de las distintas sartas de abalorios.

Telar para abalorios: los telares para abalorios constan de dos rodillos con un tornillo en el cual se atan los hilos, y dos cilindros con muescas que separan y colocan los hilos en su lugar. Sirven para realizar tejidos con abalorios.

Terminal para móviles: pequeñas piezas compuestas de una presilla de hilo o cordón y una anilla de unión, que pueden colgarse de los teléfonos móviles.

Tijeras: las tijeras son imprescindibles para cortar cualquier hilo, cable o cordón.